Graded Chinese Reader 500 Words

Selected Abridged Chinese Contemporary Mini-stories

汉语分级阅读·500词

史 迹 编著

SINOLINGUA

First Edition   2013
Sixth Printing   2017

ISBN 978-7-5138-0345-8
Copyright 2013 by Sinolingua Co., Ltd
Published by Sinolingua Co., Ltd
24 Baiwanzhuang Road, Beijing 100037, China
Tel: (86) 10-68320585   68997826
Fax: (86) 10-68997826   68326333
http://www.sinolingua.com.cn
E-mail: hyjx@sinolingua.com.cn
Facebook: www.facebook.com/sinolingua
Printed by Beijing Xicheng Priting Co., Ltd

Printed in the People's Republic of China

目录
Contents

目录
Contents

Preface

It is an established fact that reading practice is effective in improving one's proficiency in a foreign language. Thus, for students of Chinese as a foreign language, learning how to read Chinese is essential to the process of becoming familiar with Chinese words. To become effectively literate, students need to have a command of about 3,000 to 5,000 Chinese words. However, mastering such a large amount of Chinese vocabulary can be quite a significant burden. But students are eager to read in Chinese even with a limited amount of vocabulary. I once taught in the Chinese Department of Venice University and found that the students needed simple Chinese materials to improve their reading ability. The series, *Graded Chinese Reader*, is made up of such simple reading materials that have been specifically designed for students of Chinese as a foreign language with the main purpose of helping them improve their reading comprehension. This series can be useful both inside and outside the classroom.

Readability and language practicability are characteristics of the simplified stories in this series, based on contemporary Chinese novels, some of which are prize-winning works. The stories all describe Chinese people's lives and the various social changes that have occurred since the 1980s in China. By reading these literary works, written by important contemporary Chinese writers, students of Chinese as a foreign language can gain a better knowledge of the everyday lives of the Chinese people. In order to help readers have a better comprehension of these works, each story has a "Guide to reading", which appears before the main text. Questions based on the story and a brief introduction to the author are also included in the stories.

The series has already published *Graded Chinese Reader 1000 Words (originally Graded Chinese Reader 3)*, *Graded Chinese Reader 2000 Words (originally Graded Chinese Reader 1)*, and *Graded Chinese Reader 3000 Words (originally Graded Chinese Reader 2)*. *Graded Chinese Reader 500 Words* is the fourth book of the series. The stories in *Graded Chinese Reader 500 Words* have been selected from a range of contemporary mini-stories. The vocabulary in *Graded Chinese Reader 500 Words* consists of 500 essential Chinese words, which were mainly chosen based on the first 500 Chinese words of the 1,500 high frequency words in the *International Curriculum for Chinese Language Education* (2008). The book also includes some of the 600 Chinese words of the *Chinese Proficiency Test Syllabus Level 3* (2009). In each story, words outside of these above mentioned categories, such as more advanced words, proper nouns, idioms and complex sentence words, are explained in notes included at the side of each page along with examples of some of the commonly used words. Plus, words that are beyond the 500 yet within the category of 600 Chinese words of the *Chinese Proficiency Test Syllabus Level 3* are marked (e.g., 比赛). To make it easier for readers to look up the vocabulary, the 500 high frequency words and those belong to the *New HSK Test Level 3* which have appeared in this book are listed in the glossary.

In *Graded Chinese Reader 500 Words*, the most common words appear frequently in the text so that students can memorize them more efficiently; the sentences are reasonably short; complex sentences are avoided; pinyin is used so that students can easily master each word's pronunciation and look it up in a dictionary. Each story has its own notes so that readers may choose whichever story they wish to read. In order to improve students' listening comprehension, a CD in MP3 format is attached to the book. In addition, the stories are illustrated with pictures, which will help students gain a better understanding. The main goal of *Graded Chinese Reader 500 Words* is to further reduce the difficulty of reading Chinese for students and improve their reading and listening ability.

I would like to thank the College of Foreign Languages of Southwest Jiaotong University and my publisher Sinolingua for their helpful support, Professor Abbiati Magda of the Chinese Department of Venice University for all the valuable ideas she gave me when I was preparing the series, all the Chinese contemporary writers whose works are featured in this book for their permission to use and adapt their stories, Fu Mei, director of the editorial department of Sinolingua, Lu Yu, editor of Sinolingua, for their constructive suggestions and sincere help, my friends Peter Moon and Pat Burrows for their suggestions and my student Chen Lifang for her careful proofreading of the book. I would also like to thank my readers and all of the many other people who helped me, directly or indirectly, in the development of this book.

I sincerely welcome constructive criticism or helpful suggestions from both our esteemed colleagues and, of course, students of the Chinese language. We hope that this series, Graded Chinese Readers, will be helpful to all CFL students and readers.

The author can be contacted at shiji0612@126.com

Shi Ji
November, 2011
Chengdu, China

前　言

　　众所周知，通过阅读提高语言水平历来是被广为接受的、有效的语言学习途径。对于以汉语为外语的学生来说，通过汉语阅读来学习汉语词汇是非常重要的学习途径。通常情况下，要读懂一般的汉语材料，外国学生需要掌握 3,000 至 5,000 的汉语词汇。然而，外国学生要掌握 3,000 个常用词难度非常大。但是学生们却渴望用他们有限的词汇进行汉语阅读。本人在威尼斯大学中文系任教期间，了解到学生们很需要这方面的阅读材料来提高他们的阅读能力。《汉语分级阅读》系列就是为世界各国汉语学习者编写的简易读本。《汉语分级阅读》系列的主要目的是帮助学生提高汉语阅读能力。该系列既可以作为课堂汉语阅读教材，也可作为课外的汉语泛读材料。

　　《汉语分级阅读》系列所选的故事主要是中国当代作家的小说，有些是获奖作品。所选作品重点突出了作品的可读性和语言的实用性。通过阅读，学生可以在一定程度上了解现在中国人的生活，了解自20世纪80年代至今中国发生的各种社会变化。为了让学生更充分理解故事内涵，在阅读之前有英文的"阅读指导"，阅读之后有思考题和英文的作家介绍。

《汉语分级阅读》系列已经推出了《汉语分级阅读·1,000词》(原名《汉语分级阅读3》),《汉语分级阅读·2,000词》(原名《汉语分级阅读1》)和《汉语分级阅读·3,000词》(原名《汉语分级阅读2》)。《汉语分级阅读·500词》是《汉语分级阅读》系列的第四本。《汉语分级阅读·500词》的故事选自中国当代微型小说。这些故事描写了自20世纪80年代至今的中国人的生活和中国社会发生的各种变化。《汉语分级阅读·500词》的词汇量限定在500汉语常用词，主要根据《国际汉语教学通用课程大纲》(2008)1,500高频词的前500个高频词进行编写，同时参照了《新汉语水平考试大纲》(2009)HSK三级限定的600词。对每篇故事中超出上述词汇以外的词、难词、专有名词、俗语及难句，编者均进行了旁注，一些常用词给出了例句。对不在500词内但包含在新HSK三级限定的 600 词范围内的词，做了特殊标记（如比赛）。为方便读者查阅词汇，本书后附有 500 个高频词及书中用到的新 HSK 三级词汇之总词汇表。

《汉语分级阅读·500 词》在编写过程中，尽量增加常用词的复现率，以此增强读者对汉语常用词的理解与记忆。句子力求简短，结构完整，尽量避免结构复杂的长句。故事正文均配上拼音，使学生尽可能地通过读音记忆词义和查阅词典。为方便读者能够按自己的兴趣任意挑选某篇故事去阅读，注释都是以单篇故事为单位重复出现的。为提高学生的听力水平，本书配有 MP3 格式的 CD 光盘。除此之外，每篇故事还配有插图，以帮助学生更直观地了解故事内容。《汉语分级阅读·500 词》编写的宗旨是进一步降低汉语阅读的难度，提高汉语阅读和汉语听力的水平。

《汉语分级阅读》系列的编写得到各界人士的关心和支持，非常感谢西南交通大学外语学院的领导和华语教学出版社的支持。感谢威尼斯大学中文系 Abbiati Magda 教授对本书的关心和指导。感谢为本书提供作品的当代作家们。感谢华语教学出版社编辑部主任付眉及编辑陆瑜对本书提出的宝贵意见和热情帮助。感谢朋友 Peter Moon 和 Pat Burrows 提出宝贵意见。感谢我的学生陈丽芳对本书的细心校对。感谢读者对《汉语分级阅读》系列的厚爱和提出的宝贵意见。感谢曾经以不同方式直接或间接帮助我完成本书的所有朋友们。对于你们的帮助，本人在此谨表示衷心的谢意。

我真诚希望《汉语分级阅读》系列能成为世界各国汉语初学者的良师益友，并希望广大读者和同人不吝赐教。

作者邮箱：shijin0612@126.com

史迹

2011 年 11 月

于中国·成都

一、献你一束花 [1]

Yī　　Xiàn Nǐ　Yí　Shù Huā

yuánzhù: Féng Jìcái

原著：冯骥才

1 献你一束花：present a bunch of flowers to you; 束：(classifier) bunch

e.g. 他送给女友一束鲜花。

 **一、 献你一束花**

Guide to reading:

This story is about a sportswoman who fails to win the gold medal in an international gymnastics competition. When she comes back to China after the competition, she feels disgraced. Walking into the main hall of the Capital Airport, she feels sad and holds her head down. No crowds or large flower bouquets are there to greet her as they have before. However, one of her supporters who works at the airport approaches her with a smile and presents her with a bunch of flowers, which shows that flowers can also be presented to those who are seen as failures.

故事正文：

Xiānhuā　　shì xiàn gěi chénggōngzhě　de.
鲜花¹ 是 献给 成功 者² 的。

Xiānhuā yě yào xiàn gěi shībàizhě　ma?
鲜花 也 要 献给 失败者³ 吗?

　　Sì tiānqián,　zài bǐsài de shíhou,　tā
四 天 前, 在 比赛 的 时候, 她

cóng pínghéngmù shang diào xiàlái,　tā méiyǒu
从 平 衡 木 上 掉 下来⁴, 她 没有

dédào jīnpái,　yǐhòu tā jiù bǎ měilì de tóu
得到 金牌⁵, 以后 她 就 把 美丽 的 头

dī xiàlái le. Xiànzài tā huí guó le,　zǒujìn
低 下来 了。 现在 她 回国 了, 走进

jīchǎng dàtīng,　tā yìzhí dīzhe tóu,　hàipà
机场 大厅⁶, 她 一直 低着 头, 害怕

kànjiàn lái jīchǎng huānyíng de rénmen. Tā pà
看见 来 机场 欢迎 的 人们。 她 怕

jìzhě　wèn tā shénme,　pà jiějie hé jiěfu
记者⁷ 问 她 什么, 怕 姐姐 和 姐夫⁸

lái yíngjiē　tā,　pà jiàndào jīchǎng nàge
来 迎接⁹ 她, 怕 见到 机场 那个

rèqíng de nǚ fúwùyuán. Nàge jīchǎng
热情 的 女 服务员¹⁰。 那个 机场

fúwùyuán shì tā de chóngbàizhě,　měi cì
服务员 是 她 的 崇拜者¹¹, 每次

1 鲜花: fresh flowers
2 成功者: one who succeeds
3 失败者: loser
4 从平衡木上掉下来: fall down from the balance beam
5 金牌: gold medal
6 大厅: the main hall
7 记者: journalist
8 姐夫: brother-in-law; elder sister's husband
9 迎接: meet, welcome
e.g. 他回国了, 他的家人到机场迎接他。
10 服务员: attendant
11 崇拜者: admirer, fan

chūguó de shíhou, tā dōu bāng tā ná dōngxi.
出国的时候，她都帮她拿东西。

Kěshì xiànzài tā shì gè shībàizhě, zěnme
可是现在她是个失败者，怎么
jiàn rén！
见人！

Zhè cì shìjiè bǐsài, tā yīnggāi
这次世界比赛，她应该
chénggōng, rénmen dōu zhème shuō. Dàn tā
成功，人们都这么说。但她
shībài le, tā méiyǒu dédào jīnpái.
失败了，她没有得到金牌。

Liǎng nián qián, tā dì-yī cì chūguó
两年前，她第一次¹出国
cānjiā bǐsài, rénmen méiyǒu zhùyì tā, tā
参加比赛，人们没有注意她，她
xīnli méiyǒu fùdān, tā déle liǎng gè
心里没有负担²，她得了两个
jīnpái. Huí guó shí, jiùshì zài zhège jīchǎng
金牌。回国时，就是在这个机场
dàtīng li, tā shòudào rèqíng de yíngjiē.
大厅里，她受到热情的迎接。
Xǔduō zhī shǒu xiàng tā shēn guòlái, xǔduō
许多只手向她伸³过来，许多
shèyǐngjī duìzhe tā, yí gè jìzhě wèn tā：
摄影机⁴对着她，一个记者问她：

1 次: time
2 负担: burden
e.g 他现在的学习负担很重。
3 伸: extend
4 摄影机: video camera

1 抬头: raise one's head

2 抱不住了: cannot hold all (the flowers); 抱: hold, carry

🄔他抱着鲜花走出机场。

3 挂: hang

🄔房间里挂了很多画儿。

4 闪光: flash

5 她越成功就越怕失败: The more she succeeds, the more she is afraid of failure. 越……越……: the more …, the more …

🄔他越说越高兴。

6 痛苦: suffering, painful

🄔他没有工作,他感到很痛苦。

7 紧张: nervous

🄔考试要开始了,他感到很紧张。

8 招呼: greet

🄔我看见一个朋友,就马上招呼了他。

" Nǐ zuì xǐhuan shénme ？ " Tā bù zhīdào zěnme

"你最喜欢什么？"她不知道怎么

huídá , tái tóu kànjiàn yí shù xiānhuā , tā

回答,抬头[1]看见一束鲜花,她

jiù shuō : " Wǒ xǐhuan huā ! " Yúshì , jiù

就说:"我喜欢花!"于是,就

yǒu jǐshí shù huā xiàn gěi tā , huā tài duō le ,

有几十束花献给她,花太多了,

tā dōu bào bú zhù le . Zhè liǎng nián tā duō

她都抱不住了[2]。这两年她多

cì chūguó bǐsài , tā guàzhe yí gè yòu yí

次出国比赛,她挂[3]着一个又一

gè jīnpái huí guó , yíngjiē tā de shì xiàoliǎn hé

个金牌回国,迎接她的是笑脸和

zhàoxiàngjī de shǎnguāng . Tā yuè chénggōng

照相机的闪光[4]。她越成功

jiù yuè pà shībài . Tā gǎndào hěn tòngkǔ .

就越怕失败。[5]她感到很痛苦[6]。

Zhè cì bǐsài shí , yóuyú xīnqíng jǐnzhāng ,

这次比赛时,由于心情紧张[7],

tā shībài le .

她失败了。

Xiànzài tā pà jiàn rén , jiù zǒu zài zuì

现在她怕见人,就走在最

hòumiàn , hěn shǎo yǒu rén zhāohu tā , jìzhě

后面,很少有人招呼[8]她,记者

yě bù zhǎo tā le ， tā xīnli hěn nánshòu ．
也 不 找 她 了， 她 心 里 很 难 受 ¹。

Shì ā ， shéi xǐhuan hé yí gè shībàizhě zhàn zài
是 啊， 谁 喜 欢 和 一 个 失 败 者 站 在

yìqǐ ．
一 起。

Hūrán tā fāxiàn yì shuāng jiǎo tíng zài tā
忽 然 她 发 现 一 双 脚 停 在 她

yǎn qián ． Shéi ？ Tā yì diǎndiǎn wǎng shàng
眼 前。 谁 ？ 她 一 点 点 往 上

kànqù， shēnlánsè de yīfu ， chángcháng
看 去， 深 蓝 色 ² 的 衣 服， 长 长

de tuǐ ， yì zhāng xiàoliǎn ． Yuánlái shì nàge
的 腿， 一 张 笑 脸。 原 来 是 那 个

jīchǎng nǚ fúwùyuán ． Nǚ fúwùyuán bèizhe
机 场 女 服 务 员。 女 服 务 员 背 着

shuāngshǒu ， xiàozhe duì tā shuō ："Wǒ zài
双 手 ³， 笑 着 对 她 说："我 在

diànshì li kànjiànle nǐ de bǐsài ， zhīdào nǐ
电 视 里 看 见 了 你 的 比 赛， 知 道 你

jīntiān huílái ， wǒ lái yíngjiē nǐ ．"
今 天 回 来， 我 来 迎 接 你。"

"Wǒ zuò de bùhǎo ！ Wǒ shībài le ．"
"我 做 得 不 好 ！ 我 失 败 了。"

Tā yòu dīxià tóu ．
她 又 低 下 头。

1 难受: feel sad
e.g.他考试没考好,心里很难受。
2 深蓝色: dark blue
3 背着双手: put one's hands behind one's back

"Bù, nǐ hěn nǔlì."
"不，你很努力。"

"Wǒ shì shībàizhě."
"我是失败者。"

"Nǐ hěn nǔlì, shéi dōu bù néng yǒngyuǎn
"你很努力，谁都不能 永远

chénggōng, shéi dōu yǒu kěnéng shībài. Wǒ
成 功，谁都有可能失败。我

xiāngxìn, shībài hé chénggōng duìyú nǐ dōu
相信，失败和成 功 对于你都

hěn zhòngyào. Ràng shībài shǔyú guòqù,
很 重 要。让失败属于¹过去，

chénggōng cái shǔyú wèilái." Nǚ fúwùyuán shuō.
成 功 才属于未来²。"女服务员说。

Tā tīngle zhè huà, táiqǐ tóu lái.
她听了这话，抬³起头来。

Zhǐ jiàn nǚ fúwùyuán bǎ yí dà shù xiānhuā sòng
只见女服务员把一大束鲜花 送

dào tā de miànqián. Tā kàndào xiānhuā,
到她的面前⁴。她看到鲜花，

fēicháng gǎndòng, liúchūle yǎnlèi.
非常 感动⁵，流出了眼泪⁶。

Xiānhuā, shì xiàn gěi chénggōngzhě de,
鲜花，是献给成 功 者的，

nándào yě néng xiàn gěi shībàizhě?
难道⁷也能献给失败者？

1 属于: belong to
2 未来: future
3 抬: raise
4 面前: presence
5 感动: be moved
6 流出了眼泪: shedding tears; 流: flow
7 难道: Is it possible …

This story has been simplified according to Feng Jicai's mini-story, "Presenting a Bunch of Flowers to You（献你一束花）", published in the *Mini-story Selection*（微型小说集）, edited by the Editorial Department of *Mini-novel Selective Periodical*（小小说选刊编辑部）, China Federation of Literary and Art Circles Publishing Corporation（中国文联出版公司）, Beijing, 1986.

About the author Feng Jicai（冯骥才）:

Feng Jicai is a celebrated Chinese contemporary writer and a proponent of China's folk arts. He is the current Vice Chairman of the China Federation of Literary and Art Circles, President of the China Novel Society, and Chairman of the China Folk Artists Association. He was engaged as a State Council consultant in 2009. He was born in 1942, in Tianjin. During the Cultural Revolution, he was employed as a worker, a salesman, and a teacher among other things. In the 1980s, he was a representative writer of the scar literature genre（伤痕文学）. He is a prolific writer whose works have won many prizes. His short story, 雕花烟斗 (*Diāohuā Yāndǒu*), won the National Excellent Short Story Prize, and his novellas, 啊!(*À!*), 神鞭 (*Shén Biān*), and 花的勇气 (*Huā de Yǒngqì*), won the National Excellent Novella Prizes. His works have been translated into English, French, German, Russian, and Japanese.

思考题：

1. "她"回国的时候为什么怕见人？
2. "她"心里是怎么想的？
3. 谁向"她"献花了？为什么？

二、等待天鹅[1]

Èr　　Děngdài Tiān'é

yuánzhù：Xú Yín

原著：徐 寅

1 等待天鹅: waiting
for swans; 天鹅: swans

二、等待天鹅

Guide to reading:

This story happens in a small town called Pingzhen（坪镇）. One year, a flock of swans fly to the lake in Pingzhen to spend the winter. The townspeople are overjoyed at the coming of swans, and do not disturb them. The swans spend a quiet and happy winter in Pingzhen and so they come again the following year. Two years later, the new leaders of Pingzhen decide to hold a Swan Festival in order to bring businessmen to the town, supposedly to see the swans, but really for the purpose of drawing them to invest and open companies and factories in the town. The townspeople bustle about preparing for the Swan Festival. However, the swans play a trick on them and do not appear.

故事正文：

Píngzhèn　shì Zhōngguó nánfāng　de yí
坪镇[1]是 中 国 南 方[2]的 一

gè xiǎo zhèn.　Píngzhèn yǒu yí gè hú.　Sān
个 小 镇。 坪 镇 有 一 个 湖[3]。 三

nián qián de yí gè dōngtiān,　fēilái hěn duō
年 前 的 一 个 冬 天[4]， 飞[5]来 很 多

tiān'é.
天 鹅。

　　Dì-èr tiān zǎoshang,　rénmen tīngshuō
　　第 二 天 早 上， 人 们 听 说

tiān'é fēilái le,　dōu pǎolái kàn tiān'é,
天 鹅 飞 来 了， 都 跑 来 看 天 鹅，

rénshān-rénhǎi.
人 山 人 海[6]。

　　Píngzhèn de lǐngdǎo　yě lái kàn tiān'é.
　　坪 镇 的 领 导[7]也 来 看 天 鹅。

Lǐngdǎo gàosu rénmen,　yào bǎohù　tiān'é,
领 导 告 诉 人 们， 要 保 护[8]天 鹅，

ràng dàjiā líkāi,　bú ràng rénmen kàn tiān'é.
让 大 家 离 开， 不 让 人 们 看 天 鹅。

　　Nà yì nián,　tiān'é zài Píngzhèn guòle yí
　　那 一 年， 天 鹅 在 坪 镇 过 了 一

gè kuàilè de dōngtiān.
个 快 乐 的 冬 天。

1 坪镇: a town; 镇:
an administrative division under the jurisdiction of a county
2 南方: the south
3 湖: lake
4 冬天: winter
5 飞: fly
🈲小鸟在天上飞。
6 人山人海: oceans of people
🈲天鹅飞来了,人们都赶来看,人山人海。
7 领导: leader
8 保护: protect
🈲我们要保护天鹅。

Dì-èr nián,　tiān'é　yòu fēilái　le,
第 二 年，天 鹅 又 飞 来 了，

zài Píngzhèn yòu guòle　yí gè kuàilè de dōngtiān.
在 坪 镇 又 过 了 一 个 快 乐 的 冬 天。

Rénmen gāoxìng de kàndào tiān'é　yuèláiyuè
人 们 高 兴 地 看 到 天 鹅 越 来 越

duō le.
多 了。

Dàole dì-sān nián de xiàtiān　,　zài tiān'é
到 了 第 三 年 的 夏 天 [1]，在 天 鹅

hái méiyǒu lái de shíhou,　Píngzhèn de lǐngdǎo
还 没 有 来 的 时 候， 坪 镇 的 领 导

huàn le.　Xīn de lǐngdǎo xiǎngchū yí gè hǎo
换 了。 新 的 领 导 想 出 一 个 好

zhǔyi　:　Jǔbàn　yí gè tiān'é jié,　ràng
主 意 [2]：举 办 一 个 天 鹅 节，[3] 让

shāngrén lái kàn tiān'é,　lái Píngzhèn tóuzī bàn
商 人 [4] 来 看 天 鹅，来 坪 镇 投 资 办

gōngchǎng　!
工 厂 [5]！

Xiàn lǐngdǎo　gāoxìng de　tóngyìle　zhège
县 领 导 [6] 高 兴 地 同 意 了 这 个

hǎo zhǔyi.
好 主 意。

Yúshì,　Píngzhèn jiù kāishǐ zhǔnbèi
于 是， 坪 镇 就 开 始 准 备

1 夏天：summer

2 主意：idea

e.g 他 想 出 了 一 个 好
主意。

3 举办一个天鹅节：
hold a swan festival

4 商人：merchant, busi-
nessman

5 投资办工厂：invest
in building factories

6 县领导：leaders of
the county; 县：county

tiān'é jié le . Píngzhèn méiyǒu qián , jiù
天 鹅 节 了 。 坪 镇 没 有 钱 ， 就

xiàng yínháng jiè . Tāmen hěn kuài jiù xiūhǎole
向 银行 借 。 他们 很 快 就 修[1] 好了

bīnguǎn hé yúlè chǎngsuǒ . Tāmen qǐnglái
宾馆 和 娱乐 场 所[2] 。 他们 请 来

yìshùjiā hé gēxīng , hái xiěle hěnduō xìn jì
艺术家 和 歌星[3], 还 写了 很 多 信 寄[4]

dào guówài , qǐng guówài de shāngrén yě lái
到 国 外 ， 请 国 外 的 商 人 也 来

Píngzhèn kàn tiān'é . Xǔduō shāngrén dōu shuō ,
坪 镇 看 天 鹅 。 许多 商 人 都 说 ，

dōngtiān yídìng lái kàn tiān'é . Shāngrénmen
冬 天 一 定 来 看 天 鹅 。 商 人 们

shuō zhǐyào Píngzhèn de tiáojiàn kěyǐ , yídìng
说 只要 坪 镇 的 条件[5] 可 以 ， 一 定

lái tóuzī bàn gōngchǎng .
来 投资 办 工 厂 。

Rúguǒ yí gè dōngtiān yǒu hěn duō rén lái
如 果 一 个 冬 天 有 很 多 人 来

Píngzhèn lǚyóu , Píngzhèn jiāng huì yǒu qiānwàn
坪 镇 旅游 ， 坪 镇 将 会 有 千 万

yuán de shōurù . Píngzhèn jiāng huì yǒu zhème
元 的 收入[6] 。 坪 镇 将 会 有 这 么

duō de qián ! Yúshì , Píngzhèn de tǔdì
多 的 钱 ! 于是 ， 坪 镇 的 土地[7]

1 修: build
e.g. 他们在修一条路。
2 娱乐场所: public
places of entertainment
3 艺术家和歌星: art-
ists and singing stars
4 寄: post, send
e.g. 他给他妈妈寄了
一封信。
5 条件: conditions
e.g. 这里的生活条件
很好。
6 收入: revenues
e.g. 这个工作的收入
很高。
7 土地: land

比县里的土地贵，比市里¹的
土地贵。这样很多商人都会来
坪镇投资办厂，修高楼，办
娱乐场所。大家都盼望²天鹅节
的到来！

坪镇人笑了，坪镇的领导
笑了，来坪镇投资的商人们也
笑了，想来坪镇看天鹅的人也
笑了！

终于，冬天到了，盼望
很久的天鹅节到了。很多人
都来了。县领导对着话筒³
说："我宣布⁴，坪镇的天鹅节

1 市里: in the city
2 盼望: look forward to
e.g. 孩子们非常盼望
着过节。
3 话筒: microphone
4 宣布: declare
e.g. 他宣布现在开始
开会。

xiànzài kāishǐ ！"
现在开始！"

　　Xiàn lǐngdǎo xuānbù wán le， luógǔ xiǎng，
　　县 领 导 宣 布 完 了，锣 鼓 响，

hóngqí piāo， lǎba shēngshēng， rénshān-rénhǎi.
红 旗 飘，喇叭 声 声，[1] 人山人海。

Gēshēng， xiàoshēng， jiàomàishēng， Píngzhèn
歌 声， 笑 声， 叫卖声， 坪 镇

rènao jíle， zhēn xiàng shì guòjié ...
热 闹 极 了 [2]，真 像 是 过 节 [3]……

　　Rán'ér， tiān'é què méiyǒu lái， dànshì，
　　然 而，天 鹅 却 没 有 来，但 是，

lǐngdǎomen bù zháojí， shāngrénmen bù zháojí，
领 导 们 不 着急， 商 人 们 不 着 急，

lái kàn tiān'é de rén yě bù zháojí， tāmen xiǎng
来 看 天 鹅 的 人 也 不 着 急，他 们 想

tiān'é yídìng huì lái de.
天 鹅 一 定 会 来 的。

　　Rénmen zài Píngzhèn děngzhe kàn tiān'é.
　　人 们 在 坪 镇 等 着 看 天 鹅。

Wèile děngzhe kàn tiān'é， rénmen wǎnshang
为 了 等 着 看 天 鹅， 人 们 晚 上

jiù zhù zài Píngzhèn. Zài Píngzhèn， jiājiā dōu
就 住 在 坪 镇。在 坪 镇，家 家 都

shì fànguǎn， jiājiā dōu shì bīnguǎn. Yúshì，
是 饭馆，家 家 都 是 宾 馆。于 是，

1 锣鼓响,红旗飘,
喇叭声声: sound of
drums and gongs, flut-
tering of red flags,
sound of trumpets
2 热闹极了: bustling
and lively; 极了: ex-
tremely
🄴🄶他忙极了。
3 过节: celebrate a fes-
tival
🄴🄶今年他回家过节。

yì wǎn fāngbiànmiàn màidào shí yuán, yì bǎ
一碗 方便面¹卖到十元, 一把

yǐzi zuò yì wǎnshang kěyǐ shōu èrshí yuán,
椅子坐一晚 上可以收 20 元,

yì zhāng shuāngrénchuáng yào shōu yìqiān
一 张 双 人 床²要 收 一 千

kuài qián!
块 钱!

　　Píngzhèn de rén fācái le, Píngzhèn de
　　坪 镇 的 人 发 财³了, 坪 镇 的

lǐngdǎo xiào le .
领 导 笑 了。

　　Kěshì, tiān'é dì-èr tiān háishi méi-
　　可是, 天 鹅 第 二 天 还 是 没

yǒu lái ...
有 来……

　　Tiān'é dì-sān tiān háishi méiyǒu lái ...
　　天 鹅 第 三 天 还 是 没 有 来……

　　Èrshí tiān guòqù le, tiān'é háishi méi-
　　20 天 过 去 了, 天 鹅 还 是 没

yǒu lái ...
有 来……

　　Dōngtiān guòqù le, chūntiān lái le,
　　冬 天 过 去 了, 春 天⁴来 了,

tiān'é háishi méiyǒu lái . Yǒu rén qù Píngzhèn de
天 鹅 还 是 没 有 来。 有 人 去 坪 镇 的

1 方便面: instant noo-
dles

e.g 他很不喜欢吃方
便面。

2 双人床: double bed

3 发财: get rich

4 春天: spring

hú biān, kàndàole qùnián fēiláiguò de tiān'é
湖边，看到了去年飞来过的天鹅

de jǐ gēn yǔmáo。 Yǒu rén názhe yǔmáo,
的几根¹羽毛²。有人拿着羽毛，

shuō ：" Rúguǒ tiān'é jīnnián dōngtiān láile jiù
说："如果天鹅今年冬天来了就

hǎo le ！"
好了！"

　　　Shì ā， tiān'é hái huì lái ma？ Rénmen
　　　是啊，天鹅还会来吗？人们

de xīnli dōu méi dǐ le ！
的心里都没底了！

1 根：(classifier) for
long, thin objects
2 羽毛：feather

This story has been simplified according to Xu Yin's mini-story, "Waiting for Swans（等待天鹅）", published in the *China Mini-story Selection of 2006* (2006 年中国微型小说精选), edited by the Creation and Study Section of China Writers Association（中国作协创研部）, Changjiang Literature and Art Publishing House（长江文艺出版社）, Wuhan, 2007.

思考题：

1. 三年前天鹅来到坪镇的时候，坪镇的人们都做了些什么？
2. 坪镇的新领导为什么要举办"天鹅节"？
3. 在"天鹅节"开始的时候，天鹅来了吗？想一想，这是为什么？

三、雨中 [1]

yuánzhù : Zhēn Kějūn

原著：甄可君

1 雨中：in the rain

三、雨中

Guide to reading:

In the 1980s, it was fashionable among some young men to dress like overseas Chinese. These men were nicknamed "amateur overseas Chinese" and people were often prejudiced against them. This story is about a fashionable young man who dressed like an "amateur overseas Chinese". A young lady, who first sees him when she takes shelter from the rain at the market, does not obtain a good first impression of him. However, when she later sees the young man help an old farmer in the rain, she changes her attitude towards him.

故事正文：

Jīntiān shì xīngqītiān , shì māma de
今天是 星期天 ，是妈妈的

shēngri . Wǒ zǎoshang qǐlái , gàosu māma ,
生日。我 早上 起来，告诉妈妈，

jīntiān wǒ lái zuò wǔfàn . Wǒ yào wèi māma
今天我来做午饭 1。我要为妈妈

zuò yí dùn hǎochī de wǔfàn , zhù māma shēngrì
做一顿 2 好吃的午饭， 祝妈妈生日

kuàilè .
快乐。

Wǒ yǒu yí jiàn xīn de liányīqún ,
我有一件新的连衣裙 3，

fēicháng piàoliang . Wǒ gāoxìng de chuānshàng
非常漂亮。我高兴地穿 上

liányīqún qù mǎi cài . Tiānqì hěn rè , wǒ chū
连衣裙去买菜。 天气很热，我出

mén shí dàile yì bǎ nílóng zhēyángsǎn .
门时带了一把尼龙 遮阳伞 4。

Yǒu yí gè càishìchǎng lí wǒ jiā bù
有一个菜市场 5 离我家不

yuǎn , tīngshuō nàli de cài hěn duō . Hái
远， 听说那里的菜很多。 还

méi dào càishìchǎng , wǒ jiù tīngdàole jiàomài
没到菜市场，我就听到了叫卖

1 午饭：lunch
2 顿：(classifier) for
meals
e.g.他每天吃三顿饭。
3 连衣裙：women's
dress; one-piece dress
e.g.她买了一件漂亮
的连衣裙。
4 尼龙遮阳伞：a type
of nylon umbrella used
for protection from the
sun.
5 菜市场：food and
vegetable market

shēng , " Mài yú , mài yú , mài xīnxiān huó
声 ，"卖鱼，卖鱼，卖新鲜活

yú ... " Wǒ xiǎng , mǎi yì tiáo yú ba ,
鱼 1……" 我 想 ，买 一 条 鱼 吧 ,

gěi bàba māma zuò yí gè hóngshāoyú !
给爸爸妈妈做一个红烧鱼 2 !

Tūrán , dǎléi le , yào xiàyǔ le !
突然，打雷 3 了，要 下雨 了!

Wǒ hái méi pǎo dào mài yú de dìfang , yǔ jiù
我 还 没 跑 到 卖 鱼 的 地方，雨 就

xià qǐlái le . Rénmen dōu wǎng càishìchǎng de
下 起 来 了。人 们 都 往 菜 市 场 的

péngzi li pǎo . Yíhuìr , càishìchǎng de
棚子 4 里跑。一 会 儿，菜 市 场 的

péngzi li jiù jǐmǎnle rén . Yí gè xiǎohuǒzi
棚子里就挤 5 满了人。一 个 小 伙 子 6

chōngle jìnlái , zhuàngdàole wǒ . Wǒ
冲 7 了 进 来，撞 8 到 了 我。我

hěn shēngqì , tā mǎshàng shuōle yì shēng
很 生气，他 马 上 9 说 了 一 声

" duìbuqǐ " . Wǒ kàn tā hěn yǒu lǐmào ,
"对不起"。我 看 他 很 有 礼 貌 10 ,

jiù bù shēngqì le .
就 不 生气 了。

Wǒ yòu kànkan zhège xiǎohuǒzi . Yā !
我 又 看 看 这 个 小 伙 子。呀!

1 新鲜活鱼: living fish
2 红烧鱼 fish braised in soy sauce, cooked by stir-frying fish with oil, then adding soy sauce and other seasonings, and stewing it until it turns dark red.
3 打雷: thunder
4 棚子: shed
5 挤: crowd
e.g 菜市场里挤满了人。
6 小伙子: young man
e.g 这个小伙子很帅。
7 冲: dash
e.g 他冲进了房间，但是没看到人。
8 撞: bump into
e.g 他冲进房间时，撞到了往外走的妈妈。
9 马上: at once
e.g 马上就要下雨了。
10 礼貌: polite
e.g 他是个很有礼貌的孩子。

1 打扮: style of dress-
ing
e.g. 她不喜欢他这一
身打扮。

2 讨厌: disgusting
e.g. 她很讨厌他这身
打扮。

3 戴: wear
e.g. 他没戴眼镜，看
不见这上面的字。

4 米色喇叭裤: cream
colored flared trousers

5 一双棕色尖皮鞋: a
pair of brown leather
wingtip shoes

6 时髦: fashionable
e.g. 这个小伙子穿得
很时髦。
e.g. 他有很多时髦的
衣服。

7 对面: the opposite
e.g. 我家的对面有一
个书店。

8 农民老大爷: an old
farmer; 大爷: a re-
spectful term of address
for an elderly man

9 口袋: sack

10 装梨: put pears into
a sack

Tā de dǎban   hěn ràng rén tǎoyàn . Tā
他 的 打扮 [1] 很 让 人 讨厌 [2]。他

dàizhe   yǎnjìng ,   chuānzhe yì tiáo mǐsè
戴 [3] 着 眼镜， 穿 着 一 条 米色

lǎbakù ,   yì shuāng zōngsè jiān píxié ,
喇叭裤 [4]， 一 双 棕色尖皮鞋， [5]

yí jiàn chènshān ,   chènshān shàngmian xiězhe
一 件 衬衫， 衬 衫 上 面 写着

" Beijing ". Tā de dǎban hěn shímáo ,
"Beijing"。他 的 打扮 很 时髦 [6]，

kàn shàngqù xiàng yí gè " yèyú huáqiáo "!
看 上 去 像 一 个 "业余华侨"!

Yǔ yuè xià yuè dà .   Tūrán ,   wǒ
雨 越 下 越 大。 突然， 我

shēnbiān de xiǎohuǒzi yòu chōngle chūqù .
身 边 的 小 伙 子 又 冲 了 出去。

"Shénjīngbìng !" Wǒ xīnli zhème xiǎng .
"神经病!"我 心里 这么 想。

À ,   lù de duìmiàn yǒu yí wèi nóngmín
啊，路 的 对面 [7] 有 一 位 农民

lǎodàye   zhèngzài mángzhe wǎng kǒudai
老大爷 [8] 正在 忙 着 往 口 袋 [9]

li zhuāng lí .   Xiǎohuǒzi   pǎo guòqù
里 装 梨 [10]。小 伙 子 跑 过 去

bāng lǎodàye zhuāng lí ,   yíhuìr   jiù
帮 老大爷 装 梨， 一 会 儿 就

zhuānghǎo le. Ránhòu, nàge xiǎohuǒzi
装 好 了。然 后，那 个 小 伙 子

kángzhe kǒudai, chōngjìnle péngzi li. Zhè
扛¹着 口 袋，冲 进 了 棚 子 里。这

cì, tā méiyǒu zhuàngzháo wǒ. Wǒ xiàng
次，他 没 有 撞 着 我。我 向

hòumiàn jǐle jǐ, gěi tā jǐchū yìdiǎnr
后 面 挤 了 挤，给 他 挤 出 一 点 儿

dìfang. Lǎodàye yě pǎojìn péngzi li,
地 方。老 大 爷 也 跑 进 棚 子 里，

duì xiǎohuǒzi shuō: "Xiǎohuǒzi, tài
对 小 伙 子 说："小 伙 子，太

xièxie nǐ le." Xiǎohuǒzi hé lǎodàye de
谢 谢 你 了。"小 伙 子 和 老 大 爷 的

yīfu dōu shī le, xiǎohuǒzi de yīfu yě
衣 服 都 湿²了，小 伙 子 的 衣 服 也

zāng le. Zhèshí, wǒ juéde zhège xiǎohuǒzi
脏³了。这 时，我 觉 得 这 个 小 伙 子

shì gè hǎoxīnrén, yě bù tǎoyàn tā de
是 个 好 心 人，也 不 讨 厌 他 的

dǎban le. Tā wèn: "Dàye, lí shì nín
打 扮 了。他 问："大 爷，梨 是 您

zìjǐ jiā zhòng de ma?"
自 己 家 种 的 吗?"

"Shì ā, shì ā." Lǎodàye huídá shuō.
"是 啊，是 啊。"老 大 爷 回 答 说。

1 扛: carry sth. on one's shoulder
2 湿: wet
e.g. 他冲进雨中去帮助老大爷,结果他的衣服湿了。
3 脏: dirty
e.g. 这衣服脏了,要洗一洗了。

"您的家很远吧？您的生活
怎么样？……"

"这几年，政策放宽¹了，
生活好着呢，好着呢……"

"大爷，雨越下越大，梨要卖
不完了，您怎么回去？"

"我骑自行车回去，车在那
边儿呢。"

"下这么大的雨，您会生病
的……您等等，我家不远，我
回去拿一件雨衣²，您穿上
雨衣回去……"

说着，他又要往雨里冲。

1 政策放宽: soften
policies; make policies
more flexible
2 雨衣: raincoat
e.g. 下雨了，他拿上
雨衣出去了。

Bùzhī wèi shénme, wǒ duì xiǎohuǒzi
不知为什么，我对小伙子

shuō："Dǎzhe wǒ de sǎn ba, wǒ hé dàye
说："打着我的伞吧，我和大爷

zài zhèr děng nǐ."
在这儿等你。"

Xiǎohuǒzi kànzhe wǒ, jiēguò wǒ de sǎn,
小伙子看着我，接过我的伞，

yòu lǐmào de shuō："Xièxie."
又礼貌地说："谢谢。"

Xiǎohuǒzi dǎzhe wǒ de sǎn zǒu le.
小伙子打着我的伞走了。

Pángbiān yǒu gè rén duì wǒ shuō："Tā hái
旁边有个人对我说："他还

huì huílái ma? Tā huì bǎ sǎn huán gěi nǐ
会回来吗？他会把伞还给你

ma? ..." Wǒ fēicháng shēngqì, duì nàge
吗？……"我非常生气，对那个

rén shuō："Tā huì huílái de."
人说："他会回来的。"

This story has been simplified according to Zhen Kejun's mini-story, "In the Rain (雨中)", published in the *Mini-story Selection* (微型小说选), edited by the General Office of the Hohhot Evening Newspaper (呼和浩特晚报报社), Inner Mongolia People's Publishing House (内蒙古人民出版社), Hohhot, 1984.

思考题：

1. 故事中的小伙子穿什么样的衣服？
2. 小伙子看上去像一个什么样的人？
3. 小伙子帮助农民老大爷做了什么？
4. 想一想，"我"为什么把雨伞借给小伙子？

Sì　　Sān Méi　Yìngbì
四、三枚硬币 [1]

yuánzhù : Wáng Shēngshān
原著：王 升 山

1 三枚硬币：three
coins；枚：(classifi-
er) for coins, badg-
es, etc.

四、三枚硬币

Guide to reading:

A thief who has only three coins in his pocket goes to a residential area to steal money from the people living there. A little girl takes the thief to be a friend of her parents and asks him into their house, treating him as a guest. After chatting with the innocent little girl, the thief regrets what he has done. He leaves the house when the little girl goes to look for her mother without taking the money that he knows is in a drawer there. This story is about a little girl whose innocence rouses the conscience of a thief.

故事正文：

Tā shì yí gè xiǎotōu . Tā de kǒudai
他 是 一 个 小 偷[1]。他 的 口 袋[2]

li zhǐyǒu sān méi yìngbì le . Zhè liǎng tiān ,
里 只 有 三 枚 硬 币 了。这 两 天,

dàochù dōu shì jǐngchá , tā méiyǒu jīhuì
到 处 都 是 警 察[3], 他 没 有 机 会

tōudào qián . Tā xiǎng , tā yīnggāi dào zhùzhái
偷 到 钱。他 想, 他 应 该 到 住 宅

xiǎoqū qù kànkan .
小 区[4] 去 看 看。

Tā láidào zhùzhái xiǎoqū , láidào yì jiā
他 来 到 住 宅 小 区, 来 到 一 家

ménqián , mén suǒzhe , jìn bu qù . Tā cóng
门 前, 门 锁[5] 着, 进 不 去。他 从

chuānghu wǎng lǐ kàn , chuāngtái shang de
窗 户[6] 往 里 看, 窗 台[7] 上 的

huā hěn piàoliang , yě hěn xiāng !
花 很 漂 亮, 也 很 香[8]!

Tūrán , tā tīngdào yí gè xiǎogūniang
突 然, 他 听 到 一 个 小 姑 娘

de shēngyīn : " Shūshu , nǐ zhǎo shéi
的 声 音:" 叔 叔, 你 找 谁

ya ? … " Tā kàndào yí gè chuānzhe
呀? ……" 他 看 到 一 个 穿 着

1 小偷: thief
2 口袋: pocket
e.g.他的口袋里没有钱了。
3 警察: policeman
4 住宅小区: residential area; residential quarter
5 锁: lock
e.g.她锁上门就走了。
6 窗户: window
7 窗台: window sill
8 香: fragrant, scented
e.g.这种花真香。

liányīqún　　de xiǎogūniang zhàn zài ménkǒu ,
连衣裙 1 的 小 姑 娘 站 在 门 口 ,

bózi shang guàzhe yì bǎ yàoshi . Kěnéng yǒu
脖子 上 挂着 一把 钥匙 。2 可能 有

wǔ-liù suì .
五六岁 。

　　" Wǒ　…　zhǎo　…　zhǎo nǐ bà . "
　　" 我 …… 找 …… 找 你 爸 。"

Tā shuō .
他 说 。

　　" Wǒ bà shàngbān qù le . " Xiǎogūniang
　　" 我爸 上 班 去了 。" 小 姑 娘

huídá .
回答 。

　　" Nǐ mā ne ? " Tā yòu wèn .
　　" 你妈呢? " 他又问 。

　　" Wǒ māma gěi xuéshengmen shàng kè
　　" 我 妈妈 给 学 生 们 上 课 3

qù le , shūshu , qǐng jìn wū ba . " Xiǎo-
去 了 , 叔叔 , 请 进 屋 吧 。" 小

gūniang yòng yàoshi kāi mén , mén kāi le . Xiǎo-
姑 娘 用 钥匙 开门 , 门 开了 。 小

tōu xīnli xiǎng , zhège xiǎogūniang yǒudiǎnr
偷 心 里 想 , 这 个 小 姑 娘 有 点 儿

shǎ ba . Tā gēnzhe xiǎogūniang jìnle wū ,
傻 4 吧 。 他 跟 着 小 姑 娘 进 了 屋 5 ,

1 连衣裙: woman's
dress; one-piece dress
2 脖子上挂着一把钥
匙: hang a key around
one's neck; 挂: hang
3 上课: give a lesson
4 傻: foolish, stupid
5 屋: room

zuò zài shāfā   shang .
坐在沙发 [1] 上。

"Shūshu，   nǐ hē shuǐ ma？" Xiǎogūniang
"叔叔，你喝水吗？" 小姑娘

gěi tā dào chá .   Tā juéde hěn kě ，   tā   hēle
给他倒茶。他觉得很渴，他喝了

sān dà kǒu cháshuǐ .
三大口茶水。

"Shūshu，   qǐng chōu yān   ." Xiǎogūniang
"叔叔，请 抽 烟 [2]。" 小姑娘

bǎ   yì   zhī xiāngyān   sòng dào tā shǒu li .   Tā
把一支香烟 [3] 送到他手里。他

fēicháng shūfu de chōule yì kǒu yān .
非常舒服地抽了一口烟。

"Shūshū，   nǐ chī táng ma？" Xiǎo-
"叔叔，你吃糖吗？" 小

gūniang cóng chōuti   li náchū yí gè piàoliang
姑娘从抽屉 [4] 里拿出一个漂亮

de tángguǒ hé ，   náchū yí kuài táng gěi tā .
的糖果盒 [5]，拿出一块糖给他。

Tā   jiēguò táng，   fàng dào zuǐ   li ，   hǎo
他接过糖，放到嘴 [6] 里，好

tián a .
甜啊。

Xiǎogūniang zài guān chōuti shí ，   tā   tūrán
小姑娘在关抽屉时，他突然

1 沙发: sofa
2 抽烟: smoke
e.g.抽烟对身体不好。
3 香烟: cigarette
4 抽屉: drawer
5 糖果盒: a candy box
6 嘴: mouth

kàn jiànle　yí yàng dōngxi　——　qián！　Zhè zhèng
看见了一样东西——钱！这正

shì tā xiǎng yào de．　Tā yǎnjing kànzhe qián，
是他想要的。他眼睛看着钱，

xīnli xiǎng tā kěyǐ　ná zhèxiē qián mǎi píjiǔ，
心里想他可以拿这些钱买啤酒、

xiāngcháng、　shāojī　…　Tā xiǎngqǐle nàme
香肠、烧鸡[1]……他想起了那么

duō hàochī de dōngxi．
多好吃的东西。

　　"Shūshu，　nǐ zuòzhe，　wǒ qù zhǎo māma．
　　"叔叔，你坐着，我去找妈妈。

Zhè shì yì běn　*Léi Fēng Shūshu de Gùshi*
这是一本《雷锋叔叔的故事》[2]，

nǐ kàn shū ba．"　Tā shuō．
你看书吧。"她说。

　　"Nǐ xiāngxìn wǒ ma？"　Tā wèn xiǎo-
　　"你相信我吗？"他问小

gūniang．
姑娘。

　　"Wèi shénme bù xiāngxìn nǐ ne？"
　　"为什么不相信你呢？"

Xiǎogūniang shuōwán，　chàngzhe tiàozhe，　pǎole
小姑娘说完，唱着跳着，跑了

chūqù　…
出去……

1 啤酒、香肠、烧鸡:
beer, sausage, roast
chicken
2《雷锋叔叔的故事》:
The Stories of Lei Feng;
雷锋: Lei Feng, a hero
who is always ready to
help others, is a good
example for people to
follow in China.

Tā zhàn qǐlái , zǒu dào chōuti qiánmiàn ,
他 站 起来， 走 到 抽屉 前 面，

hěn duō cì tā liǎn bù hóng , xīn bú tiào , jiù
很 多 次 他 脸 不 红 ， 心 不 跳 ， 就

bǎ biéren de qián fàngjìn zìjǐ de kǒudai li ,
把 别人 的 钱 放进 自己 的 口袋 里，

kěshì jīntiān tā liǎn hóng le , xīn tiào le ,
可 是 今 天 他 脸 红 了 ， 心 跳 了，

shǒu dǒu le ...
手 抖 ¹ 了 ……

Tā xiǎng , zìjǐ yě yǒuguò měihǎo de
他 想 ， 自己 也 有 过 美 好 的

tóngnián , dàizhe hónglǐngjīn , zhàn zài duìqí
童年 ²， 戴着 红领巾， 站 在 队旗

xià ... Tā xīntóu yí rè , tā hǎoxiàng
下 ³…… 他 心 头 一 热， 他 好 像

dì-yī cì dǒngdéle rén de jiàzhí hé zūnyán .
第一 次 懂得了 人 的 价值 ⁴ 和 尊严 ⁵。

Tā yòu zuòhuí shāfā shang . Gǎndào hěn lèi ,
他 又 坐 回 沙发 上 。 感 到 很 累，

tā cónglái méiyǒu gǎndào zhèyàng lèiguò .
他 从 来 ⁶ 没 有 感 到 这 样 累 过。

Jīntiān tā dǒngdéle hěn duō shìqing , tā dǒngdéle
今天 他 懂得了 很 多 事情， 他 懂得了

zěnyàng zuò rén , zhè shì qián mǎi bu lái de ,
怎样 做人， 这 是 钱 买 不 来 的，

1 抖: tremble

2 童年: childhood

3 戴着红领巾, 站在队旗下: referring to Young Pioneers wearing red scarves and standing under the Young Pioneer's flag. In China, all primary schools have a children's organization called Young Pioneers, which teaches children to do good deeds and behave well.

4 价值: value

5 尊严: dignity

6 从来: always; at all times

e.g 他从来没做过这样的事。

yě shì tā yǒngyuǎn wàng   buliǎo de .
也是他永远 忘 ¹不了的。

Tā méiyǒu dǎkāi chōuti ,   méiyǒu ná
他没有打开抽屉，没有拿

chōuti lǐmiàn de qián .   Tā xiǎng ,   wǒ bù yīnggāi
抽屉里面的钱。他想，我不应该

ná biéren de qián .   Wǒ hēle sān kǒu cháshuǐ ,
拿别人的钱。我喝了三口茶水，

chōule yì zhī xiāngyān ,   chīle   yí kuài táng .
抽了一支香烟，吃了一块糖。

" Wǒyīnggāi gěi xiǎogūniang qián . "   Kěshì tā
"我应该给小姑娘钱。"可是他

kǒudai li zhǐyǒu sān méi yìngbì , liǎng gè wǔ fēn
口袋里只有三枚硬币， 两个5分

de yìngbì hé yí gè yì fēn de yìngbì ,   yígòng
的硬币和一个1分的硬币，一共

yī jiǎo yī fēn qián .   Tā de qián tài shǎo le ,
1角1分²钱。他的钱太少了，

dànshì tā juéde yīnggāi bǎ zhè sān méi yìngbì gěi
但是他觉得应该把这三枚硬币给

zhège xiǎogūniang .   Tā cóng kǒudai li náchū
这个小姑娘。他从口袋里拿出

sān méi yìngbì fàng zài zhuōzi shang .   Ránhòu ,
三枚硬币放在桌子上。然后，

tā zǒuchūle fáng jiān ,   guānshàngle mén   ...
他走出了房间，关上了门……

1 忘: forget
2 1角1分: 11 cents

This story has been simplified according to Wang Sheng-shan's mini-story, "Three Coins (三枚硬币)", published in the *Mini-story Selection* (微型小说选), edited by the General Office of the Hohhot Evening Newspaper (呼和浩特晚报报社), Inner Mongolia People's Publishing House (内蒙古人民出版社), Hohhot, 1984.

思考题 :

1. "他" 为什么来到住宅小区？
2. "他" 在小姑娘的家里想做什么？
3. "他" 最后做没做之前想做的事？为什么？

五、你很漂亮

Wǔ　Nǐ hěn Piàoliang

yuánzhù : Tóng　Chéng

原著：童　　成

五、你很漂亮

Guide to reading:

Xia Xia（夏霞）is a young girl who works in a factory. She is very beautiful and proud. Many handsome young men want to become her boyfriend, but none of them is a college graduate. Chang Ping（常平）is a college graduate who is assigned to the factory. Xia Xia tries to see whether her beauty favorably impresses Chang Ping, wanting to show other people she can also obtain the love of a college graduate. However, Chang Ping loves another girl, Chen Ru（陈如）. Although Xia Xia is beautiful, ultimately she cannot win Chang Ping's love. In the 1980s in China, college graduates were assigned to work units by the government and girls liked to find college graduates to be their boyfriends or husbands.

故事正文：

Xià Xiá hěn piàoliang, zǒng shì yǒu hěn duō
夏霞很漂亮，总是有很多

xiǎohuǒzi xǐhuan tā, zhuī tā. Tā hěn
小伙子[1]喜欢她，追[2]她。她很

jiāo'ào. Gōngchǎng li xīn láile yí gè
骄傲[3]。工厂[4]里新来了一个

dàxuéshēng, jiào Cháng Píng. Cháng Píng
大学生[5]，叫常平。常平

dàizhe yǎnjìng, duì rén hěn rèqíng.
戴[6]着眼镜，对人很热情。

Cháng Píng shì dàxuéshēng. Hěn duō
常平是大学生。很多

gūniang dōu xǐhuan dàxuéshēng, tāmen duì
姑娘都喜欢大学生，她们对

Cháng Píng hěn rèqíng. Cháng Píng duì dàjiā yě
常平很热情。常平对大家也

hěn rèqíng. Xià Xiá hěn jiāo'ào, tā bù xiǎng
很热情。夏霞很骄傲，她不想

duì Cháng Píng tèbié rèqíng. Dànshì tā xiǎng
对常平特别热情。但是她想

zhīdào Cháng Píng shì bu shì xǐhuan tā.
知道常平是不是喜欢她。

Yì tiān zǎoshang, Xià Xiá zài gōngchǎng
一天早上，夏霞在工厂

1 小伙子: young man
2 追: chase (a girl)
3 骄傲: proud
e.g.他学习很好，但是很骄傲。
4 工厂: factory
5 大学生: college/university student
6 戴: wear
e.g.她不喜欢戴眼镜。

dàmén kǒu　yùdàole　Cháng Píng．　Tā wèn tā：
大门口 遇到了 常 平。她 问 他：

"Cháng　jìshùyuán　，　nǐ yǒu gāokǎo　fùxí
"常 技术员¹，你有高考复习

zīliào　ma？"　Tā　dìdi　jīnnián gāozhōng
资料²吗？"她弟弟今年高中

bìyè　，　yào kǎo　dàxué．　Tā māma
毕业³，要考⁴大学。她妈妈

chángcháng shuō yào zhǎo gāokǎo　fùxí　zīliào．
常 常 说要找高考复习资料。

Dànshì Xià Xiá ràng Cháng Píng bāng tā zhǎo zīliào
但是夏霞让 常 平帮她找资料

búshì　wèile　tā　dìdi　，　tā shì xiǎng zhīdào
不是为了她弟弟，她是想 知道

Cháng Píng shì bu shì yuànyì　bāngzhù tā，　shì
常 平是不是 愿意 帮助 她，是

bu shì xǐhuan tā．
不是喜欢她。

Cháng Píng xiàole xiào，　shuō："Wǒ yǒu
常 平笑了笑，说："我有

gāokǎo　fùxí　zīliào！"　Xiàwǔ，　Cháng Píng
高考复习资料！"下午， 常 平

gěi tā sòngqù hǎo jǐ běn fùxí zīliào．Xià Xiá
给她送去好几本复习资料。夏霞

gǎndào：Zhè shì yí gè xiǎohuǒzi zài xiàng yí
感到：这是一个小伙子在 向 一

1 技术员：technician
2 高考复习资料：books or references for the college entrance exams
3 高中毕业：graduation of senior high school
4 考：take an examination

gè gūniang biǎoshì hǎogǎn . Tā xiàole yíxià ,
个 姑 娘 表 示 好 感 [1]。 她 笑 了 一 下，

tóngshí lǐmào de shuōle shēng " xièxiè ".
同 时 [2] 礼 貌 地 [3] 说 了 声 " 谢 谢"。

Tā juéde Cháng Píng duì tā shì rèqíng de , yǒu
她 觉 得 常 平 对 她 是 热 情 的、 有

hǎogǎn de .
好 感 的。

Xià Xiá hěn měi , tā yòu tèbié huì
夏 霞 很 美， 她 又 特 别 会

dǎban , měi tiān dōu bǎ zìjǐ dǎban de
打 扮 [4]， 每 天 都 把 自 己 打 扮 得

hěn piàoliang ! Yīnwèi piàoliang , yǒu hěn duō
很 漂 亮！ 因 为 漂 亮， 有 很 多

xiǎohuǒzi zhuī tā . Zhuī tā de xiǎohuǒzi dōu
小 伙 子 追 她。 追 她 的 小 伙 子 都

fēicháng shuài , xiàng " wángzǐ " nàme
非 常 帅 [5]， 像 " 王 子 [6]" 那 么

shuài . Rán'ér , zhèxiē xiǎohuǒzi dōu bú shì
帅。 然 而， 这 些 小 伙 子 都 不 是

dàxuéshēng , zhǐyǒu Cháng Píng shì dàxuéshēng .
大 学 生， 只 有 常 平 是 大 学 生。

Kěshì Cháng Píng bú xiàng nàxiē xiǎohuǒzi
可 是 常 平 不 像 那 些 小 伙 子

nàyàng rèqíng de zhuī tā . Xià Xiá gǎndào
那 样 热 情 地 追 她。 夏 霞 感 到

---

1 **好感**: good and fa-
vorable impression

e.g. 这个小伙子帮助
了老大爷,姑娘对他
有了好感。

2 **同时**: at the same
time

3 **礼貌地**: politely

4 **打扮**: dress up

e.g. 她今天打扮得特
别漂亮。

5 **帅**: handsome

e.g. 她的男朋友很帅。

6 **王子**: prince

yǒudiǎnr bù shūfu . Tā juédìng hé Cháng Píng
有点儿不舒服。她决定和 常 平

jiējìn , yào ràng dàjiā dōu kànjiàn , zhè wèi
接近¹，要让大家都看见，这位

dàxuéshēng yě xǐhuan tā .
大学生也喜欢她。

　　Tā jīngcháng jiējìn Cháng Píng , Cháng Píng
　　她经常²接近 常 平， 常 平

duì tā hěn rèqíng . Zhè shǐ Xià Xiá hěn jiāo'ào .
对她很热情。这使³夏霞很骄傲。

Tā jīngcháng zài xiǎng , " Nǐmen dàjiā kànkan ,
她经常在想，"你们大家看看，

dàxuéshēng yě xǐhuan wǒ ! " Dàn tā hěn kuài
大学生也喜欢我！" 但她很快

jiù fāxiàn , Cháng Píng duì měi yí gè rén dōu hěn
就发现， 常 平对每一个人都很

rèqíng . Tā hái fāxiàn , Cháng Píng duì lìng yí
热情。她还发现， 常 平对另⁴一

gè gūniang tèbié hǎo . Nàge gūniang jiào Chén
个姑娘特别好。那个姑娘叫陈

Rú . Suīrán Chén Rú méiyǒu zìjǐ piàoliang ,
如。虽然陈如没有自己漂亮，

kěshì Cháng Píng xǐhuan tā . Xià Xiá bù míngbai
可是 常 平喜欢她。夏霞不明白

wèi shénme Cháng Píng huì xǐhuan Chén Rú .
为什么 常 平会喜欢 陈如。

1 **接近**：be in close
contact with
e.g 他很骄傲，不太好
接近。
2 **经常**：often
3 **使**：make
e.g 这件事使我特别
高兴。
4 **另**：another

Zhè ràng Xià Xiá bù néng rěnshòu . Tā
这 让 夏霞 不 能 忍受[1]。她

nǔlì dǎban zìjǐ , chuān piàoliang yīfu ,
努力 打扮 自己， 穿 漂亮 衣服，

hái yòng huālùshuǐ . Kěshì , Cháng Píng duì
还 用 花露水[2]。可是， 常 平 对

tā háishi hé yǐqián yíyàng . Bàn nián yǐhòu
她 还是 和 以前 一样。 半年 以后

tā tīngshuō , Chén Rú chéngle Cháng Píng de
她 听说， 陈如 成了 常 平 的

nǚpéngyou , Cháng Píng yě chéngrèn le .
女朋友， 常 平 也 承认[3] 了。

Xià Xiá hěn shēngqì , tā juédìng qù
夏霞 很 生气， 她 决定 去

cháoxiào Cháng Píng .
嘲笑[4] 常 平。

Zhè tiān , Xià Xiá dǎban de fēicháng
这天， 夏霞 打扮 得 非 常

piàoliang . Tā chuānzhe báisè de gāogēnxié
漂亮。 她 穿着 白色 的 高跟鞋[5]

lái zhǎo Cháng Píng . Tā wèn Cháng Píng :
来 找 常 平。 她 问 常 平：

" Cháng jìshùyuán , nǐ juéde wǒ zhège rén
" 常 技术员， 你 觉得 我 这个 人

zěnmeyàng ? "
怎么样？ "

---

1 忍受: bear, endure
e.g.天气太热了，她忍
受不了。
2 花露水: toilet water;
floral water
3 承认: admit
e.g. 他承认他错了。
4 嘲笑: jeer at; mock
at
5 高跟鞋: high-heeled
shoes

Cháng Píng xiàozhe shuō : " Nǐ hěn
常　平　笑　着　说 : " 你　很
piàoliang ... "
漂　亮 ……"

This story has been simplified according to Tong Cheng's mini-story, "You Are Very Beautiful（你很漂亮）", published in the *Mini-story Selection*（微型小说选）, edited by the General Office of the Hohhot Evening Newspaper（呼和浩特晚报报社）, Inner Mongolia People's Publishing House（内蒙古人民出版社）, Hohhot, 1984.

思考题 :

1. 夏霞为什么很骄傲？
2. 夏霞为什么喜欢接近常平？
3. 常平是一个什么样的小伙子？
4. 常平喜欢夏霞吗？为什么？

yuánzhù：Zhāng Ěrhé

原著：张 尔和

六、照片

Guide to reading:

The husband in this story is skilful at carpentry and also enjoys literature and likes to write fiction in his spare time. His wife asks him to make a few pieces of furniture in his free time to make some extra money. At that time, in the 1980s, making money out of work hours violated governmental rules, so the husband did not agree to go along with his wife's plan. This led to the young couple quarreling with each other. Finally, the husband played a trick on his wife, which caused her to yield to him at last.

故事正文：

Tāmen jiéhūn yǐjīng liǎng nián. Zhàngfu
他们 结婚 已经 两 年。 丈 夫

xǐhuan wénxué, jīngcháng xiě xiǎoshuō,
喜欢 文学[1]， 经 常 写 小 说[2]，

kěshì cónglái méiyǒu fābiǎoguò.
可是 从来[3] 没有 发表[4] 过。

Tā huì mùgōng, shǒuyì hěn hǎo,
他 会 木工[5]， 手艺[6] 很 好，

tāmen jiā de jiājù dōu shì tā zìjǐ zuò de.
他们 家 的 家具[7] 都 是 他 自己 做 的。

Tā ài tā de qīzi. Tā de qīzi yě
他 爱 他 的 妻子。 他 的 妻子 也

ài tā. Dànshì qīzi de píqi bù hǎo.
爱 他。 但是 妻子 的 脾气[8] 不 好。

Zhàngfu de píqi hǎo, jīngcháng ràngzhe tā.
丈 夫 的 脾气 好， 经 常 让[9] 着 她。

Qīzi xiǎng ràng zhàngfu zài yèyú shíjiān
妻子 想 让 丈夫 在 业余 时间[10]

wèi biéren zuò jiājù, hǎo duō zhèng xiē qián.
为 别人 做 家具， 好 多 挣 些 钱[11]。

Kěshì zhàngfu bù tóngyì.
可是 丈夫 不 同意。

Tā duì tā shuō: " Wǒ yǒu gè péngyou,
她 对 他 说：" 我 有 个 朋友，

---

1 文学: literature
2 小说: fiction
3 从来: always; at all times
e.g. 她从来没有去过北京。
4 发表: publish
5 木工: carpentry
6 手艺: craft, skill
7 家具: furniture
8 脾气: temper
e.g. 他妻子的脾气不太好。
9 让: give in
e.g. 他妻子生气的时候，他总是让着她。
10 业余时间: spare time
11 挣钱: earn money; make money
e.g. 他很能干，一年能挣很多钱。

jiào Xiǎolán, tā xiǎng qǐng nǐ gěi tā zuò
叫 小 兰， 她 想 请 你 给 她 做

jiājù, tā hái shuō yào gěi wǒmen qián."
家具， 她 还 说 要 给 我 们 钱。"

Tā shuō : "Wǒ bú zuò."
他 说 ："我 不 做。"

Tā shuō : "Nǐ wèi shénme bú zuò? Nǐ
她 说 ：" 你 为 什 么 不 做？ 你

kěyǐ duō zhèng qián ā!"
可 以 多 挣 钱 啊！"

Tā shuō : "Guójiā guīdìng bù zhǔn zài
他 说 ：" 国 家 规 定 不 准 在

yèyú shíjiān gěi biéren gànhuó zhèng qián.[1]
业 余 时 间 给 别 人 干 活 挣 钱。[1]

Lìngwài, wǒ yě méiyǒu shíjiān. Wǒ xǐhuan
另外[2]， 我 也 没 有 时 间。 我 喜 欢

zài jiā kàn wénxuéshū, xiě xiǎoshuō."
在 家 看 文 学 书， 写 小 说。"

Tā shuō : "Shénme méi shíjiān? Nǐ
她 说 ：" 什 么 没 时 间？ 你

suīrán xiěle hěn duō xiǎoshuō, kěshì cónglái
虽 然 写 了 很 多 小 说， 可 是 从 来

méiyǒu fābiǎoguò ā!"
没 有 发 表 过 啊！"

Tā shuō : "Wǒ ... zǒng yǒu yì tiān,
他 说 ：" 我 …… 总 有 一 天，

1 In the 1980s, the government made provisions that a worker was not allowed to work to make money in his or her spare time.

2 另外: besides
e.g 他另外找了一个人帮忙。

néng fābiǎo ． ”
能 发 表 。”

　　Tā shuō ：“ Nǐ　bìxū　gěi Xiǎolán zuò
　　她 说 ：“ 你 必 须 给 小 兰 做

jiājù ． ”
家 具 。”

　　Tā shuō ：“ Bù ，　wǒ jiù bú zuò ． ”
　　他 说 ：“ 不 ， 我 就 不 做 。”

　　Tā shuō ：“ Jiù zuò yí　cì ． ”
　　她 说 ：“ 就 做 一 次 。”

　　Tā shuō ：“ Yí　cì　yě bú zuò ． ”
　　他 说 ：“ 一 次 也 不 做 。”

　　Tā　zuìhòu　shuō ：“ Sān tiān zhī　nèi ，
　　她 最 后 说 ：“ 三 天 之 内 ，

nǐ　bìxū　tóngyì gěi Xiǎolán zuò　jiājù ，
你 必 须 同 意 给 小 兰 做 家 具 ，

fǒuzé　　… ”
否 则 [1]……”

　　Dì-yī tiān ，　tā bù gěi tā zuòfàn ，　yě
　　第 一 天 ， 她 不 给 他 做 饭 ， 也

bù gěi tā qián ． Tā bú pà ，　yīnwèi tā kǒudai
不 给 他 钱 。 他 不 怕 ， 因 为 他 口 袋 [2]

li hái yǒu　yìdiǎnr　qián ．
里 还 有 一 点 儿 钱 。

　　Dì-èr tiān ，　tā bǎ tā kǒudai li de qián
　　第 二 天 ， 她 把 他 口 袋 里 的 钱

1 否则：or else; other-
wise
e.g. 咱们快点走吧，
否则赶不上车了！
2 口袋：pocket

názǒu le, hái duì tā shuō：" Nǐ méiyǒu
拿走了，还对他说："你没有

qián, nǐ yě bù néng qù jiè qián." Méiyǒu
钱，你也不能去借钱。"没有

qián, tā jiù méi bànfǎ le. Dàole wǎnshang,
钱，他就没办法了。到了晚上，

tā duì tā shuō, bié zhèyàng le, zhèyàng de
他对她说，别这样了，这样的

shēnghuó bú kuàilè. Kěshì tā bù tīng. Tā
生活不快乐。可是她不听。她

háishi ràng tā gěi Xiǎolán zuò jiājù.
还是让他给小兰做家具。

　　Dì-sān tiān wǎnshang, tā zuò zài chuáng
　　第三天晚上，他坐在床[1]

shang. Tā tǎng zài chuáng shang.
上。她躺[2]在床上。

　　Tā shuō："Wǒmen hǎohāor tántan."
　　他说："我们好好儿谈谈。"

　　Tā shuō：" Nǐ bù tóngyì gěi Xiǎolán zuò
　　她说："你不同意给小兰做

jiājù, jiù bù tán."
家具，就不谈。"

　　Tā shuō：" Wǒ tán de shìqing hěn
　　他说："我谈的事情很

zhòngyào."
重要。"

1 床: bed
2 躺: lie
e.g. 他经常躺在床上
看书。

Tā bù shuōhuà .
她 不 说 话 。

Tā shuō : " Wǒmen líhūn   ba ! "
他 说 : "我 们 离 婚 [1] 吧!"

Tā fēicháng chījīng .
她 非 常 吃 惊 [2] 。

Tā shuō : " Biérén gěi wǒ jièshàole yí gè
他 说 : "别 人 给 我 介 绍 了 一 个

gūniang . "
姑 娘 。"

Tā qì jíle   , zhēn xiǎng dǎ tā , dàn
她 气 极 了 [3] , 真 想 打 他 , 但

yòu rěnzhù le . Tā ràng tā bǎ huà shuōwán ,
又 忍 [4] 住 了 。 她 让 他 把 话 说 完 ,

búguò , tā de yǎnjing yǒudiǎnr shī le .
不 过 , 她 的 眼 睛 有 点 儿 湿 [5] 了 。

Tā cóng chènyī   kǒudai li náchū zhāng
他 从 衬 衣 [6] 口 袋 里 拿 出 张

zhàopiàn . Tā shuō : " Zhège gūniang de
照 片 。 他 说 : "这 个 姑 娘 的

yàngzi búcuò . Kàn yàngzi píqi yě hǎo . "
样 子 不 错 。 看 样 子 脾 气 也 好 。"

Tā hěn nánguò ,   yīnwèi tā xǐhuan bié de
她 很 难 过 , 因 为 他 喜 欢 别 的

gūniang le .
姑 娘 了 。

---

1 离婚: divorce

2 吃惊: be surprised
e.g. 他听说你离婚了,
感到很吃惊。

3 气极了: extremely
angry; ……极了: ex-
tremely
e.g. 他高兴极了。

4 忍: bear, endure
e.g. 她的头很疼,她
忍不住了。

5 湿: wet
e.g. 看到她难过的样
子,他的眼睛湿了。

6 衬衣: shirt

他说：“她说和我结婚以后，
让我写小说，不让我挣钱。”

她很嫉妒 [1]，因为当时她也对
他说过这些话。

他说：“这个姑娘是真的
爱我。”

她想说：“我不是也爱你
吗？”但是没有说出来。

他说：“因此，她不会让我
做我不喜欢做的事。”

她没说话，她很生气。

他说：“你帮我看看这个
姑娘怎么样？”

1 嫉妒: be jealous of
e.g. 他经常嫉妒别人。

Tā "……" Tā bù zhīdào shuō
她："……" 她 不 知 道 说
shénmehǎo.
什么 好。

Tā bǎ nà zhāng zhàopiàn ná dào tā
他 把 那 张 照 片 拿 到 她
yǎn qián. Tā fēicháng shēngqì, dǎkāile tā
眼 前。她 非 常 生 气，打 开 了 他
de shǒu.
的 手。

Tā tànle kǒu qì, bǎ zhàopiàn fàngjìn
他 叹 了 口 气 [1]，把 照 片 放 进
chènyī kǒudai li. Tā bǎ shǒu fàngjìn bèizi
衬衣 口 袋 里。她 把 手 放 进 被 子 [2]
li. Tā guānle dēng, shuì le. Tā bǎ dēng
里。他 关 了 灯，睡 了。她 把 灯
kāi le, qǐlái le. Tā shuìzháo le. Tā què
开 了，起 来 了。他 睡 着 了。她 却
shuì bu zháo.
睡 不 着。

Tā hòuhuǐ le, tā bù gāi duì tā
她 后 悔 [3] 了，她 不 该 对 他
zhèyàng. Tā kū le, xiǎngle hěn duō. Tā
这 样。她 哭 了，想 了 很 多。她
yào hé tā hǎohāor tántan.
要 和 他 好 好 儿 谈 谈。

1 叹了口气: give a sigh

2 被子: quilt

3 后悔: regret

e.g. 她没有接受这个工作, 现在很后悔。

Tā bú ràng tā zuò jiājù le. Tā kànzhe
她不让他做家具了。她看着

tā de chènyī kǒudai, tā yào kànkan nàge
他的衬衣口袋，她要看看那个

gūniang de yàngzi. Tā cóng tā de chènyī kǒudai
姑娘的样子。她从他的衬衣口袋

li náchū zhàopiàn yí kàn, tā yòu xiǎng kū yòu
里拿出照片一看，她又想哭又

xiǎng xiào. Nà jiù shì tā zìjǐ de zhàopiàn.
想笑。[1]那就是她自己的照片。

Tā qǐlái, zài tā de liǎnshang qīnle
她起来，在他的脸上亲[2]了

yíxiàr. Tā xiào le. Yuánlái tā yě méiyǒu
一下儿。他笑了。原来他也没有

shuìzháo.
睡着。

1 她又想哭又想笑:
She wants to cry while
laughing.
2 亲: kiss

This story has been simplified according to Zhang Erhe's mini-story, "Photo（照片）", published in the *Mini-story Selection*（微型小说集）, edited by the Editorial Department of *Mini-novel Selective Periodical*（小小说选刊编辑部）, China Federation of Literary and Art Circles Publishing Corporation（中国文联出版公司）, Beijing, 1986.

思考题：

1. 故事中的丈夫喜欢在业余时间做什么？
2. 妻子想让丈夫做什么？丈夫为什么不同意？
3. 丈夫是怎么让妻子不生气的？

Qī　　Dòngfáng Qiāoqiāohuà

七、洞房悄悄话 [1]

yuánzhù : Niú Rúzhōng

原 著 : 牛 如 忠

[1] 洞房悄悄话: private talk in a bridal chamber, here it refers to the divorced couple's private talk to restore their marriage.

七、洞房悄悄话

Guide to reading:

Great changes have taken place in the countryside since the 1980s. In the early 1980s, the policies regarding farmers in the countryside became more and more flexible, and farmers soon became rich. This story tells of a couple who divorce before the reform in China, and reunite after the implementing of the reform and opening-up policies in the early 1980s. One night during the Mid-autumn Festival (a traditional Chinese festival that symbolizes the reunion of a family) the husband and wife reunite and quietly talk about their sufferings after the divorce and express their sincere love and happiness at their reunion.

故事正文：

Tāmen líhūn le . Tāmen líhūn yǐhòu
他们离婚¹了。他们离婚以后，

nánrén méiyǒu zài jiéhūn ,   nǚrén yě méiyǒu zài
男人没有再结婚，女人也没有再

jiéhūn . Zài yí gè Zhōngqiū Jié de yèwǎn ,
结婚。在一个中秋节的夜晚，²

yuèliang yòu yuán yòu míng ,   nǚrén dàizhe
月亮又圆又明，³女人带着

háizi yòu huílái le . Yuèliang zài tīng tāmen de
孩子又回来了。月亮在听他们的

qiāoqiāohuà .
悄悄话。

Nán de shuō : " ... Nǐ kàn nǐ ,
男的说："……你看你，

zěnme kū qǐlái le ? "
怎么哭起来了？"

Nǚ de shuō : " Wǒ xīnli nánguò ... "
女的说："我心里难过……"

Nán de shuō : " Nánguò shá ? Xiànzài
男的说："难过啥⁴？现在

zánmen de rìzi hǎo le , gēn yǐqián bù
咱们的日子⁵好了，跟以前不

yíyàng le ! Nǐ kàn, xīn de zìxíngchē ,
一样了！你看，新的自行车、

1 离婚: divorce
e.g 他们离婚了，她心里很难过。
2 在一个中秋节的夜晚: the night of the Mid-autumn Festival
3 月亮又圆又明: The moon is round and bright.
4 啥: what
5 日子: life, date
e.g 以前他的日子很苦，现在好多了。

dàyīguì , zhuōzi , yǐzi , hái yǒu nàme
大衣柜 1、桌子、椅子，还有那么

duō de liángshi ! Nǐ kàn ma , wǒ hái cúnle
多的粮食 2！你看嘛，我还存 3 了

sānbǎi kuài qián . Nǐ huíjiā le , zánmen
三百块钱。你回家了，咱们

míngtiān jìn chéng qù , mǎi yí gè féngrènjī ,
明天进城去，买一个缝纫机 4，

zài gěi nǐ mǎi jiàn xīn yīfu ... Nǐ zěnme bù
再给你买件新衣服……你怎么不

shuōhuà ? Bǎ háizi fàng zài kàng shang ba ,
说话？把孩子放在炕 5 上吧，

xiǎoxīn bié gǎnmào le ."
小心别感冒了。"

Nǚ de shuō : " Nǐ búyòng gēn wǒ shuō
女的说："你不用跟我说

zhèxiē ! Wǒ bú shì nà zhǒng ài qián de nǚrén ,
这些！我不是那种爱钱的女人，

kàn nǐ de rìzi hǎo le yòu lái fùhūn , wǒ shì
看你的日子好了又来复婚 6，我是

wèile wǒmen de háizi cái huílái fùhūn de !
为了我们的孩子才回来复婚的！

Wèile háizi , wǒ méiyǒu zài jiéhūn . Wǒ pà
为了孩子，我没有再结婚。我怕

háizi shòukǔ ... "
孩子受苦 7……"

1 **大衣柜**: wardrobe
2 **粮食**: grains
3 **存**: save, deposit
e.g. 他把钱全存进银行了。
4 **缝纫机**: sewing machine
5 **炕**: a bed built on a brick base, with a fire underneath to heat the bed
6 **复婚**: restoration of marriage
7 **受苦**: suffer
e.g. 这几年他受苦了。

1 **伤心**: grieved, bro-ken-hearted
2 **三转一响，三十六条腿**: Before the 1980s, when a man and a woman were engaged to be married, the man would give betroth-al gifts from the bride-groom to the bride's family, which includ-ed things like a sewing machine, a watch, a bike, a radio called **三转一响**, as well as fur-niture called **三十六条腿** which represented the 36 legs of the fur-niture, such as a bed, a wardrobe, a table, chairs, etc. The bride-groom's family would often spend a lot of money to ensure their son's marriage.
3 **老实**: honest
4 **能干**: capable
e.g.他很能干。
5 **过日子**: live a life
6 **大队**: production bri-gade of a rural people's commune before the 1980s
7 **干活**: work; do farm work
8 **养蜂、养猪**: raise bees and raise pigs

Nán de shuō : " Wǒ zhīdào nǐ de xīn . "
男 的 说 ："我 知道 你 的 心 。"

Nǚ de shuō : " Nǐ bù zhīdào ! Zhè liǎng
女 的 说 ："你 不 知道！ 这 两

nián wǒ duōme shāngxīn ā ! Wǒmen jiéhūn
年 我 多么 伤心 啊！ 我 们 结 婚

sān nián duō , wǒ nǎ yí jiàn shì duìbuqǐ nǐ ?
三 年 多， 我 哪 一 件 事 对不起 你？

Wǒ gēn nǐ jiéhūn méi yào nǐ de qián , yě méi
我 跟 你 结婚 没 要 你 的 钱， 也 没

yào nǐ de sān zhuàn yì xiǎng , sānshíliù tiáo
要 你 的 三 转 一 响， 三 十 六 条

tuǐ . Wǒmen zài xuéxiào shàngxué de shíhou ,
腿 。我 们 在 学 校 上 学 的 时候，

nǐ ài xuéxí , rén lǎoshi , wǒ xǐhuan nǐ zhè
你 爱 学习， 人 老实， 我 喜欢 你 这

gè rén , shéi zhī nǐ hòulái biànhuài le ! "
个 人， 谁 知 你 后来 变 坏了！"

Nán de shuō : " Zhè dōu shì wǒ bù hǎo . "
男 的 说 ："这 都 是 我 不 好 。"

Nǚ de shuō : " Jiéhūn hòu dì-yī nián , nǐ
女 的 说 ："结婚 后 第一 年， 你

hěn nénggàn , rènzhēn guò rìzi . Nǐ chúle
很 能干， 认真 过 日子 。你 除了

zài dàduì gànhuó , hái yǎngfēng , yǎng zhū
在 大队 干活， 还 养 蜂、 养 猪 。

Hòulái dàduì shuō nǐ shì zīběn zhǔyì qīngxiàng,
后来大队说你是资本主义倾向[1],

pīpànle nǐ. Kě wǒ méiyǒu duì nǐ bù hǎo,
批判[2]了你。可我没有对你不好,

dàduì pīpàn nǐ, wǒ liú lèi, nǐ wǎnshang
大队批判你,我流泪[3],你晚上

bù huílái, wǒ děng dào tiān míng …"
不回来,我等到天明……"

Nán de shuō:"Shì zhèyàng de."
男的说:"是这样的。"

Nǚ de shuō:"Nàxiē nián liángshi shǎo,
女的说:"那些年粮食少,

wǒ bǎ hàochī de dōngxi dōu gěi nǐ chī, nǐ
我把好吃的东西都给你吃,你

chī bái miàn mántou, wǒ chī cài tuán; nǐ chī
吃白面馒头,我吃菜团;你吃

miàntiáo, wǒ hē tāng … Wǒxiǎng, nǐ shì
面条,我喝汤[4]……我想,你是

nánrén. Kěshì nǐ ne, nǐ biànhuài le, yě
男人。可是你呢,你变坏了,也

bú rènzhēn guò rìzi le! Wǒ hé háizi hǎo
不认真过日子了!我和孩子好

kǔ ā …"
苦[5]啊……"

Nán de shuō:"Ài, nà jǐ nián,
男的说:"唉,那几年,

1 资本主义倾向: capitalist tendency. Before the reform in China, people who grew grain in their own fields and raised their own pigs were regarded as following the capitalist tendency, which was widely criticized.

2 批判: criticize

3 流泪: shed tears

4 你吃白面馒头,我吃菜团;你吃面条,我喝汤: You have wheat-flour bread and I only have the unpalatable vegetable bread. You have noodles, and I have the soup left. The sentence means the woman wants to give the good thing to her husband and bear the sufferings herself because of the grain shortage at that time. 白面馒头: steamed bread; 菜团: vegetable bread; 面条: noodles; 汤: soup

5 苦: bitter, suffering

e.g. 那种日子真苦呀!

dàjiā　　chī dàguōfàn　，　dì li zhòng bù chū
大家 吃 大锅饭 [1]，地里 种 不 出
liángshi 。 Wǒ yí gè dàzhàngfu ， bù néng ràng
粮食。我 一个 大丈夫，不 能 让
nǐ hé háizi chībǎo fàn ， xīnli yě kǔ ā ！ Wǒ
你 和 孩子 吃饱 饭，心里 也 苦 啊！我
xiǎng yǎng fēng ， yǎng zhū zhèng qián ， yòu shòu
想 养 蜂、养 猪 挣 钱 [2]，又 受
dàduì de pīpàn 。 Wǒ shāngxīn le ， shénme yě
大队 的 批判。我 伤 心 了，什么 也
bù xiǎng gàn le ， hùn rìzi ba ！ ”
不 想 干了，混 日子 [3] 吧！ ”

　　Nǚ de shuō ： “ Nǐ hé nàxiē bùsān-búsì
　　女 的 说：“你 和 那些 不三不四
de rén zài yìqǐ ， hē jiǔ 。 Nǐ mà wǒ ，
的 人 [4] 在 一起，喝 酒。你 骂 [5] 我，
dǎ wǒ ， hái bǎ jiāli de dōngxi tōu chūqù
打 我，还 把 家里 的 东西 偷 [6] 出去
mài 。 Wǒ shuō nǐ ， nǐ bù tīng ！ ”
卖。我 说 你，你 不 听！ ”

　　Nán de shuō ： “ Wǒ yě bù zhīdào dāngshí
　　男 的 说：“我 也 不 知道 当 时
wǒ wèi shénme huì nàyàng … ”
我 为 什么 会 那样……”

　　Nǚ de shuō ： “ Yǒu yí cì ， nǐ bǎ wǒ
　　女 的 说：“有 一 次，你 把 我

1 **大锅饭**: everyone eating from the same big pot, a Chinese term denoting egalitarianism.

2 **挣钱**: earn money; make money

3 **混日子**: scrape by; drift along

4 **不三不四的人**: dubious characters; gluttonous and lazy people

5 **骂**: curse

6 **偷**: steal

e.g. 他的自行车昨天夜上被偷了。

一件新衬衣[1]偷出去卖了，去买
酒喝，那是我出门穿的新衣服
啊！我只有那一件新衣服。我一
说你，你就打我……我好伤心
啊！"说着说着，她就哭了——

男的说："你别哭了，别让
邻居[2]听见了！"

女的说："我没办法
了，只有和你离婚了。你想想
啊，一日夫妻百日恩，[3]我们在
一起生活了两年，又有了
孩子……我是不想离婚的，可是
没办法啊！"

1 衬衣: shirt
2 邻居: neighbor
3 一日夫妻百日恩:
an old Chinese saying:
a day together as hus-
band and wife means
endless devotion and
love in a marriage.

Nán de shuō：" Wǒ dāngshí xīn xiǎng，
男 的 说："我 当 时 心 想，

méiyǒu nǐ hé háizi gèng hǎo. Kěshì nǐ zǒu
没有 你 和 孩子 更 好。可是 你 走

hòu， wǒ yí gè rén zài jiā， gànhuó huílái，
后，我 一 个 人 在 家，干 活 回来，

méi rén gěi wǒ zuò fàn， rè yí dùn， lěng yí
没人 给 我 做饭，热 一 顿 [1]，冷 一

dùn， è yí dùn， bǎo yí dùn， yīfu yě
顿，饿 一 顿，饱 一 顿，衣服 也

pò le， jiā li yòu zāng yòu luàn，
破 [2] 了，家 里 又 脏 又 乱 [3]，

wǎnshang yě shì yí gè rén. Nà shí wǒ cái
晚 上 也 是 一 个 人。那 时 我 才

zhīdào， zhè jiā li bùnéng méiyǒu nǐ！ Kěshì，
知道，这 家 里 不 能 没 有 你！可 是，

yíqiè dōu wǎn le. Wǒ hèn wǒ zìjǐ， dǎ
一切 都 晚 了。我 恨 [4] 我 自 己，打

zìjǐ， wèi shénme líhūn ā！ Wǎnshang shuì
自己，为 什么 离婚 啊！ 晚 上 睡

bu zháo， chángcháng chōu yān， yìzhí chōu
不 着，常 常 抽 烟 [5]，一 直 抽

dào zǎoshang."
到 早 上。"

Nǚ de shuō：" Líhūn zhè jǐ nián， wǒ
女 的 说："离婚 这 几 年，我

1 顿: (classifier) for meals.
2 破: worn
e.g. 这件衣服破了。
3 又脏又乱: both dirty and messy；又……又……: both ... and ...
e.g. 看到家里又脏又乱，她很生气。
4 恨: hate
5 抽烟: smoke

和孩子也受了很多苦啊！我住在

我妈家里，时间长了，哥哥

和嫂子[1]不高兴。你知道，我

受不了[2]这些。我抱[3]着孩子进了

城，给人家当奶妈[4]，别人的孩子

吃我的奶，咱们的孩子却只能吃

糊糊[5]，孩子哭，我也哭……"

男的说："唉……"

女的说："别人让我重新[6]

结婚，可我很想你，我们的孩子

不能没有亲爸爸[7]！可是你不会

过日子，回来还是受苦。我没

办法，白天干活，晚上哭，想

1 嫂子: the elder brother's wife

2 受不了: cannot bear; be unable to endure

e.g. 这里的生活苦，她受不了。

3 抱: carry in one's arms

4 奶妈: wet nurse

5 糊糊: mush

6 重新: again, anew

7 亲爸爸: one's biological father

nǐ , ài nǐ , hèn nǐ ! "
你，爱你，恨你！"

Nán de shuō : " Hòulái zhèngcè biàn le .
男 的 说："后来政策¹变了。

Wǒ jiù bù xiāngxìn méiyǒu hǎo rìzi ! Wǒ bù chōu
我就不相信没有好日子！我不抽

yān , bù hē jiǔ , zài dì li dā péngzi , zhù zài
烟，不喝酒，在地里搭棚子²，住在

dì li . Zài hòulái , wǒ yòu yǎng fēng . Hēi !
地里。再后来，我又养蜂。嘿！

Nǐ cāi , zhè yì nián shōurù duōshǎo ? Dàduì
你猜³，这一年收入⁴多少？大队

fēn gěi wǒ yìqiān jīn liángshi , fēngtáng màile
分给我一千斤粮食⁵，蜂糖⁶卖了

wǔbǎi kuài qián ! Rìzi yuè guò yuè hǎo .
五百块 钱！日子越 过 越 好。

Dì-èr nián , wǒ háishi zhù zài dì li , zhòng dì ,
第二年，我还是住在地里，种地、

yǎng fēng . Zhè yì nián , fēnle yìqiān wǔbǎi jīn
养蜂。这一年，分了一千五百斤

liángshi , zhèngle yìqiān kuài qián ! "
粮食，挣了一千块 钱！"

Nǚ de shuō : " Wáng pó mài guā , zì mài
女 的 说："王 婆 卖 瓜，自卖

zì kuā . Hái bú shì zhè liǎng nián de zhèngcè
自夸。⁷还不是这两年的政策

---

1 政策: policy

2 搭棚子: put up a hut

3 猜: guess

4 收入: income
e.g. 他的收入不高。

5 分给我一千斤粮食:
distribute a thousand
jin of grain to me; 斤:
jin, a unit of weight,
equals 1/2 kilogram.

6 蜂糖: honey

7 王婆卖瓜，自卖自
夸: ring one's own
bell

hǎo ā ！ ”
好啊！”

　　Nán de shuō ：“ Hēihēi， shéi shuō bú shì
　　男 的 说：“嘿嘿，谁 说 不 是

ne . Rìzi hǎo le， cūn li rén　gěi wǒ jièshàole
呢。日子 好 了，村 里 人¹ 给 我 介绍了

jǐ gè duìxiàng， wǒ dōu méi tóngyì. Wǒ xīnli
几个 对 象²，我 都 没 同意。我 心里

lǎo xiǎngzhe nǐ hé háizi ... Dànshì wǒ bù
老 想 着 你 和 孩子……但是 我 不

zhīdào， nǐ hái néng bu néng huílái zhǎo wǒ .”
知道，你 还 能 不 能 回来 找 我。”

　　Nǚ de shuō ：“ Wǒ yě shì zhèyàng， dāng
　　女 的 说：“我 也 是 这样，当

wǒ gànhuó de shíhou， jiù xiǎngqǐ nǐ， rúguǒ
我 干活的 时候，就 想起 你，如果

wǒmen yìqǐ guò rìzi duō hǎo ā ！ Kě yòu yì
我们 一起 过 日子 多 好 啊！可 又 一

xiǎng， wǒmen yǐjīng líhūn le， wǒmen hái
想，我们 已经 离婚 了，我们 还

néng chóngxīn zài yìqǐ guò rìzi ma？”
能 重 新 在 一起 过 日子吗？”

　　Nán de shuō ：“ Jīnnián xiàtiān， wǒ
　　男 的 说：“今年 夏天，我

názhe qián， gěi nǐ mǎile yí jiàn lǜsè de
拿着 钱，给 你 买了 一 件 绿色 的

---

1 村里人：villagers
2 对象：boyfriend or girlfriend
e.g. 村里人经常给他介绍对象。

chènshān， qù nǐ mā jiā zhǎo nǐ．"
衬 衫，去 你 妈 家 找 你。"

　　Nǚ de shuō："Nà wǒ zěnme méi
　　女 的 说："那 我 怎 么 没

kàndào nǐ？"
看 到 你？"

　　Nán de shuō："Wǒ pà nǐ bú ràng wǒ jìn
　　男 的 说："我 怕 你 不 让 我 进

mén ā！"
门 啊！"

　　Nǚ de shuō："Jīnnián sān yuè， wǒ hé
　　女 的 说："今 年 三 月，我 和

háizi qù zhèn shang gǎnjí¹， kànzhe nàxiē
孩 子 去 镇 上 赶 集¹，看 着 那 些

nánnán-nǚnǚ dàizhe háizi， shuōshuō-xiàoxiào
男 男 女 女 带 着 孩 子，说 说 笑 笑

de mǎi dōngxi， wǒ yòu xiǎngqǐle nǐ。 Hūrán，
地 买 东 西，我 又 想 起 了 你。忽 然，

wǒ kànjiàn nǐ zài shìchǎng shang mài fēngtáng，
我 看 见 你 在 市 场 上 卖 蜂 糖，

háizi xiǎng chī fēngtáng， wǒ liú lèi le。 Wǒ
孩 子 想 吃 蜂 糖，我 流 泪 了。我

xīnxiǎng， háizi chī bú dào tā bà zuò de
心 想，孩 子 吃 不 到 他 爸 做 的

fēngtáng ā！"
蜂 糖 啊！"

1 去镇上赶集: go to a market in a town

Nán de shuō : " Nà nǐ zěnme bú ràng
男 的 说 : "那 你 怎 么 不 让

háizi lái zhǎo wǒ ? "
孩 子 来 找 我？"

Nǚ de shuō : " Wǒ pà nǐ bú rèn zánmen
女 的 说 : " 我 怕 你 不 认¹ 咱们

háizi ... Nǐ zěnme kū le ? "
孩 子……你 怎 么 哭 了？"

Nán de shuō : " Wǒ méiyǒu kū , yí gè
男 的 说 : "我 没 有 哭， 一 个

xiǎo chóngr fēi dào yǎnjing li le . "
小 虫 儿² 飞 到 眼 睛 里 了。"

Nǚ de shuō : " Ràng wǒ gěi nǐ kànkan . "
女 的 说 : " 让 我 给 你 看 看。"

Nán de shuō : " Búyòng , búyòng . "
男 的 说 : "不 用， 不 用。"

Nǚ de shuō : " Zěnme ? Tíng diàn le
女 的 说 : " 怎 么？ 停 电 了，

diǎn yóudēng ba . "
点 油 灯³ 吧。"

Nán de shuō : " Búyòng le , nǐ kàn ,
男 的 说 : "不 用 了， 你 看，

yuèliang duō yuán , duō míng ! Ò , jīntiān
月 亮 多 圆， 多 明！ 哦， 今 天

shì bā yuè shíwǔ , Zhōngqiū Jié , wǒ mǎile
是 八 月 十 五， 中 秋 节， 我 买 了

1 认: admit
2 小虫儿: worm
3 点油灯: light an oil lamp

yuèbing ，wǒ qù ná yuèbing， nǐ bǎ háizi
月饼¹，我去拿月饼，你把孩子

jiàoxǐng ba ．"
叫醒²吧。"

　　Nǚ de shuō："Wǒmen jiù zuò zài chuāng
　　女的 说："我们 就 坐 在 窗

qián kàn yuèliang ba ． Nǐ tīng， chóng'ér jiào
前 看 月亮 吧。你 听， 虫儿 叫

de duō hǎotīng ā ．"
得 多 好听 啊。"

　　Nán de shuō："Nǐ zěnme yòu zài liú
　　男 的 说："你 怎么 又 在 流

yǎnlèi le ？"
眼泪 了？"

　　Nǚ de shuō："Nǐ bú shì yě zài liú yǎn-
　　女 的 说："你 不 是 也 在 流 眼

lèi mā ！"
泪 吗！"

　　Nán de shuō："Méi ... "
　　男 的 说："没……"

　　Nǚ de shuō："Nà nǐ liǎn shang zěnme
　　女 的 说："那 你 脸 上 怎么

shī le ？"
湿³了？"

1 月饼: moon cake
2 叫醒: wake sb. up
3 湿: wet

This story has been simplified according to Niu Ruzhong's mini-story, "Private Talk in the Bridal Chamber（洞房悄悄话）", published in the *Mini-story Selection*（微型小说集）, edited by the Editorial Department of *Mini-novel Selective Periodical*（小小说选刊编辑部）, China Federation of Literary and Art Circles Publishing Corporation（中国文联出版公司）, Beijing, 1986.

思考题：

1. 故事中的男人和女人为什么离婚？
2. 离婚以后，"他们"的日子过得好吗？为什么？
3. "他们"为什么要复婚？
4. 中秋节是一个什么样的节日？

Bā　　　Lǎorén　hé Niǎo

八、老人和鸟¹

yuánzhù：Jiǎ Píngwā

原著：贾平凹

1 鸟：bird

八、老人和鸟

Guide to reading:

In this story, a flood comes to a mountain city, destroying some of its old houses. Soon afterwards, a new residential building is built to replace them and people move into it. However, an old man does not like the new tall building. He falls ill and is confined to bed where he complains all day long and constantly recalls his life in his old house. He greatly desires to have a bird, so his sons and daughters catch a bird and put it in a cage for him. The bird keeps the old man company which makes him happy, but is exhausting for the bird. This story depicts the loneliness of an old man.

故事正文：

Zhè shì yí zuò shānchéng. Liǎng nián qián
这 是 一 座 山 城 [1]。 两 年 前

láiguò yì chánghóngshuǐ, sān tiān yǐhòu hóngshuǐ
来过一 场 洪水 [2]， 三 天 以后 洪 水

tuì le. dànshì yì tiáo Nándàjiē què bújiàn
退 [3] 了， 但是 一 条 南大街 [4] 却 不见

le. Lǎorén de píngfáng yě bújiàn le. Zhè wèi
了。老人的平房 [5] 也 不见 了。这 位

lǎorén hěn shāngxīn, ránhòu tā jiù bìng le.
老人很 伤心 [6]， 然后 他 就 病 了。

Dànshì, Nándàjiē hěn kuài yòu xiūhǎo
但是， 南 大 街 很 快 又 修 [7] 好

le, xiūqǐle gāolóu. Xīn xiū de gāolóu
了， 修 起了高楼 [8]。 新 修 的 高 楼

qiánmiàn zhòngle lù shù. Xiǎo niǎor fēilái
前 面 种 了绿树。 小 鸟儿 飞 [9] 来

le, zài shù shang tiào lái tiào qù de jiào. Yǒu
了， 在 树 上 跳 来 跳 去 地 叫。有

shù, yǒu niǎor, dàlóu jiàn de hěn piàoliang.
树， 有 鸟儿， 大 楼 建 [10] 得 很 漂 亮。

Lǎorén shēngbìng, tǎngzàichuángshang,
老人 生 病， 躺在 床 上 ，[11]

zhǐ néng kànjiàn chuānghu wài de shù. Tā
只 能 看 见 窗 户 [12] 外 的 树。他

1 山城: mountain city

2 一场洪水: a flood

3 退: retreat, recede

4 南大街: South Street

5 平房: one-story house

6 伤心: grieved

7 修: build

8 高楼: tall building

9 飞: fly

10 建: build

11 躺在床上: lying on the bed

12 窗户: window

xīnli jīngcháng xiǎngqǐ yǐqián de Nándàjiē
心里经常¹想起以前的南大街

shang de lǎo fángzi. Yǐqián tā zǒuchū mén
上 的 老 房 子。以 前 他 走 出 门

jiù kěyǐ kànjiàn tiān, kànjiàn shù, kànjiàn
就 可 以 看 见 天, 看 见 树, 看 见

niǎo, kànjiàn rén, měi tiān guòzhe kuàilè de
鸟, 看 见 人, 每 天 过 着 快 乐 的

shēnghuó. Xiànzài tā zhùjìn gāolóu, měi tiān
生 活。现 在 他 住 进 高 楼, 每 天

tǎng zài chuáng shang, màzhe hóngshuǐ.
躺 在 床 上, 骂²着 洪 水。

Tā kàn bu dào dì, yě kàn bu dào gèng gāo
他 看 不 到 地, 也 看 不 到 更 高

de tiān. Tā láodao gāolóu bù hǎo, lǎorén
的 天。他 唠 叨³高 楼 不 好, 老 人

shuō:"Gāolóu dōngtiān lěng, xiàtiān rè,
说:"高 楼 冬 天 冷, 夏 天 热,

yìdiǎnr yě bù hǎo." Érnǚmen bù tóngyì
一 点 儿 也 不 好。"儿 女⁴们 不 同 意

lǎorén de guāndiǎn, tāmen rènwéi, yīnwèi
老 人 的 观 点⁵, 他 们 认 为, 因 为

zhè cháng hóngshuǐ, tāmen yǒule piàoliang
这 场 洪 水, 他 们 有 了 漂 亮

de lóufáng. Tāmen hái zài yángtái shang
的 楼 房⁶。他 们 还 在 阳 台⁷上

1 经常: often
e.g. 这是我经常去的
地方。

2 骂: curse

3 唠叨: chatter
e.g. 他不喜欢听妈妈
唠叨,可是离开家,他
又想妈妈。

4 儿女: sons and daughters

5 观点: opinion
e.g. 我同意他的观点。

6 楼房: multistory building

7 阳台: balcony

zhòng huā　duō piàoliang ā !　Yángguāng
种 花，多 漂 亮 啊！ 阳 光 [1]

cóng ménchuāng sǎ　jìnlái，zhàozhe tāmen，
从 门 窗 洒 [2] 进来，照 [3] 着他们，

duō shūfu ā !　Chuānzhe píxié　zài dìbǎn
多 舒服 啊！ 穿 着 皮鞋 [4] 在地板 [5]

shang zǒuzhe，duō jīngshen　ā !
上 走着，多 精神 [6] 啊！

　　" Bié gāoxìng，　hái huì yǒu dà hóngshuǐ
　　"别 高兴，还 会 有 大 洪 水

ne . " Lǎorén shuō .
呢。"老人 说。

　　" Bú pà de !　Hóngshuǐ hái néng yān　dào
　　"不 怕 的！ 洪 水 还 能 淹 [7] 到

zhème gāo de lóu shang lái ma ? "
这么 高 的 楼 上 来 吗？"

　　Měi tiān xiàbān　huílái，　érnǚmen dōu
　　每 天 下班 [8] 回来，儿女们 都

gěi tā mǎi hěn duō hǎo chī de，hǎo chuān de，
给 他 买 很 多 好 吃 的，好 穿 的，

dànshì shéi dōu bú yuànyì zài tā chuáng qián tīng
但是 谁 都 不 愿意 在 他 床 前 听

tā láodao .
他 唠叨。

　　" Wǒ yào sǐ le . " Tā shuō .
　　"我 要 死 了。"他 说。

1 阳光: sunshine
2 洒: spill (into)
e.g 阳光洒满大地。
3 照: shine
e.g 阳光可以照进来。
4 皮鞋: leather shoes
5 地板: floor
6 精神: full of spirit
7 淹: flood
8 下班: be off duty

"Bàba! Bié zhèyàng shuō!" Érnǚmen
"爸爸！别这样说！"儿女们

bú ràng tā shuō.
不让他说。

Yǒu yì tiān, tā tūrán tīngdào yì zhǒng
有一天，他突然听到一种

jiàoshēng, yì zhǒng hěn hǎotīng de jiàoshēng.
叫声，一种很好听的叫声[1]。

Shì shénme zài jiào? Tā kàn bu dào.
是什么在叫？他看不到。

Lǎorén tiāntiān tīngdào hǎotīng de jiàoshēng,
老人天天听到好听的叫声，

dànshì kàn bu dào shì shénme zài jiào, tā hěn
但是看不到是什么在叫，他很

zháojí, yì tiāntiān shòule xiàqù.
着急，一天天瘦了下去。

"Bàba, nǐ zěnme la, xūyào shénme
"爸爸，你怎么啦，需要什么

ma?" Érnǚmen wèn.
吗？"儿女们问。

Jiàoshēng yòu chuán jìnlái le, lǎorén
叫声又传进来了，老人

wèn: "Nà shì shénme zài jiào?"
问："那是什么在叫？"

Érnǚmen pā zài chuāngkǒu wǎng wài
儿女们趴[2]在窗口[3]往外

1 叫声：cry, scream
2 趴：lean on
3 窗口：window

kàn,   kàndào shù shang yǒu yì zhī xiǎo niǎo,
看，看 到 树 上 有一只 小 鸟，

nà zhī niǎor zài kuàilè de jiàozhe.
那只鸟儿在 快乐 地叫着。

" Nà shì zhī xiǎo niǎor . " Érnǚmen shuō.
"那是只小鸟儿。" 儿女们 说。

" Wǒ yào nà niǎor . " Lǎorén shuō.
"我要那鸟儿。"老人 说。

" Yào niǎor ? "   Érnǚmen bù zhīdào gāi
"要鸟儿？"儿女们不知道该

zěnme bàn.
怎么办。

" Wǒ yào niǎor . " Lǎorén shuō.
"我要鸟儿。"老人 说。

Érnǚmen wèile lǎorén, xià lóu qù zhuā
儿女们为了老人，下楼去抓

nà zhī xiǎo niǎo.   Dànshì shù tài gāo,   tāmen
那只小鸟。但是树太高，他们

pá bu shàngqù.   Tāmen gěi lǎorén mǎile yí gè
爬不上去。他们给老人买了一个

shōuyīnjī.
收音机[1]。

" Wǒ xǐhuan niǎor, wǒ zhǐ yào niǎor,
"我喜欢鸟儿，我只要鸟儿，

bú yào shōuyīnjī. " Lǎorén háishi yào niǎor.
不要收音机。"老人还是要鸟儿。

1 收音机: radio

Yǒu yì tiān, niǎor tūrán fēi dào
有一天，鸟儿突然飞到

chuāngtái shang, lǎorén kànjiàn le, dàshēng
窗台 [1] 上，老人看见了，大声

jiàozhe, dàn érnǚmen dōushàngbān qù le,
叫着，但儿女们都上班 [2] 去了，

niǎor zài nàli jiàole jǐ shēng, fēizǒu le.
鸟儿在那里叫了几声，飞走了。

Lǎorén bǎ zhè jiàn shì gàosule érnǚ,
老人把这件事告诉了儿女，

érnǚmen jiù zài chuāngtái fàngshàng yì bǎ
儿女们就在窗台 放上一把

gǔzi, děngzhe niǎor lái chī. Hòulái nà
谷子 [3]，等着鸟儿来吃。后来那

zhī niǎor zhēnde fēilái le, érnǚmen jiù bǎ
只鸟儿真的飞来了，儿女们就把

niǎor zhào zài yí gè xiǎo luókuāng li.
鸟儿罩 [4] 在一个小箩筐 [5] 里。

Érnǚmen zuòle yí gè xiǎo lóngzi,
儿女们做了一个小笼子 [6]，

bǎ niǎor fàng jìnqù, guà zài lǎorén de
把鸟儿放进去，挂 [7] 在老人的

chuáng biān.
床边。

Lǎorén tiāntiān yǐ niǎor wéi bàn, gěi
老人天天以鸟儿为伴 [8]，给

1 窗台: window sill
2 上班: go to work
e.g. 爸爸妈妈这时都正在上班。
3 谷子: grain
4 罩: cover
5 箩筐: bamboo basket
6 笼子: cage
7 挂: hang up
8 以……为伴: keep sb. company

niǎor chī hěn hǎo de gǔzi ， màzhe hóngshuǐ
鸟儿吃很好的谷子，骂着洪水

gěi niǎor tīng . Niǎor zài lóngzi li fēizhe ，
给鸟儿听。鸟儿在笼子里飞着，

jiàozhe . Lǎorén hěn gāoxìng ， jīngcháng xiǎngqǐ
叫着。老人很高兴，经常想起

yǐqián de kuàilè shēnghuó . Děng érnǚmen xià
以前的快乐生活。等儿女们下

bān huílái ， tā jiù gěi tāmen jiǎng hǎo duō tā
班回来，他就给他们讲好多他

tóngnián de gùshi . Érnǚmen yě hěn gāoxìng ，
童年[1]的故事。儿女们也很高兴，

yīnwèi zhè zhī niǎor gěi lǎorén dàiláile kuàilè .
因为这只鸟儿给老人带来了快乐。

Yì tiān yèli ， xià dàyǔ ， guā dàfēng，
一天夜里，下大雨[2]，刮大风，

lǎorén yòu bìng le . Lǎorén tǎng zài chuáng shang ，
老人又病了。老人躺在床上，

duì niǎor shuō ：" Jiào ya ， jiào ya ！"
对鸟儿说："叫呀，叫呀！"

Xiǎo niǎor jiàozhe ， kěshì niǎor yǐjīng
小鸟儿叫着，可是鸟儿已经

jiào de hěn lèi le .
叫得很累了。

1 童年: childhood
2 雨: rain
e.g.雨下得很大, 他的
衣服湿了。

This story has been simplified according to Jia Pingwa's mini-story, "The old Man and the Bird (老人和鸟)", published in the *Mini-Story Selection* (微型小说集), edited by the Editorial Department of *Mini-novel Selective Periodical* (小小说选刊编辑部), China Federation of Literary and Art Circles Publishing Corporation (中国文联出版公司), Beijng, 1986.

About the author Jia Pingwa (贾平凹):

Jia Pingwa is one of the most celebrated Chinese contemporary writers and is the Chairman of the Shaanxi Writers Association. He was born in 1952, in Danfeng (丹凤) County, Shaanxi (陕西) Province. He lived in the countryside until he entered Xibei University to study Chinese literature in 1972. Since then, he has lived in Xi'an (西安). He is a prolific writer whose notable works include 秦腔 (*Qínqiāng*), 高兴 (*Gāoxìng*), 心迹 (*Xīnjì*), 爱的踪迹 (*Ài de Zōngjì*), 废都 (*Fèi Dū*), 浮躁 (*Fúzào*), 白夜 (*Bái Yè*)and 土门 (*Tǔ Mén*), etc. His work 秦腔 won the Seventh Maodun Literature Prize. He has also won many other national and international literature awards and prizes. His works have been translated into many languages, including English, French, German, Russian, Japanese, Korean, Vietnamese.

思考题：

1. 老人的平房怎么没有了？
2. 老人喜欢住在新修的高楼里吗？为什么？
3. 老人的儿女们为什么喜欢住楼房？
4. 老人为什么喜欢小鸟？

九、租个儿子过年 [1]

Jiǔ　　Zū Gè　Érzi Guònián [1]

yuánzhù: Zōng Lìhuá
原 著 ： 宗 利 华

[1] 租个儿子过年:
hire someone as a
son to celebrate the
Spring Festival

九、租个儿子过年

In China, the Spring Festival is an event that is greatly cele-brated, and a time when older people look forward to their sons and daughters returning home for a family reunion. In this story, there is an old couple who are lonely. They want to hire someone as a son, so they write a notice asking for a young man and put it on the newspaper. A young escaped criminal sees the notice in the newspaper and goes to the old couple's home and spends the eve of the Spring Festival with them. The old couple's affection and love arouses the young man's feelings of love towards his own parents. This is a story about the emotional attachment people have to family.

故事正文：

Chūn Jié kuài dào le, dàjiā dōu
春节[1] 快 到 了, 大家 都

mángzhe guònián. Yí gè niánqīngrén kàndào
忙着 过年[2]。 一个 年轻人[3] 看到

yí gè qǐshì. Kànwán qǐshì, tā mǎshàng
一个 启事[4]。 看完 启事， 他 马上

jiù gāoxìng le. Qǐshì shang xiězhe："Qīwàng
就 高兴 了。 启事 上 写着：" 期望[5]

yí gè yǒu àixīn de, yǒu qīnqíng de nánháizi
一个 有 爱心 的， 有 亲情[6] 的 男孩子

hé wǒmen yìqǐ guònián." Zhè shì yí duì
和 我们 一起 过年。" 这 是 一 对[7]

lǎorén xiě de qǐshì. Tāmen xiǎng zū yí gè
老人 写 的 启事。 他们 想 租 一个

érzi guònián.
儿子 过年。

Tā xiào le. Tā zhènghǎo méiyǒu dìfang
他 笑 了。 他 正 好 没有 地方

guò Chūn Jié ne. Yúshì, tā gěi zhè duì lǎorén
过 春节 呢。 于是， 他 给 这 对 老人

dǎ diànhuà, shuō zìjǐ kěyǐ qù. Zài
打 电话， 说 自己 可以 去。 在

diànhuà li, lǎotàitai fēicháng gāoxìng, tā
电话 里， 老太太[8] 非常 高兴， 他

1 春节：the Spring Festival; 过春节：celebrate the Spring Festival, the same as 过年

2 过年：celebrate the Spring Festival

3 年轻人：young man

4 启事：notice

5 期望：expect; look forward to
e.g. 他期望能找到一个好工作。

6 亲情：emotional attachment to family

7 一对：a couple

8 老太太：old woman

tīngjiàn tā duì zhàngfu shuō : "　Lǎotóuzi　 ,
听 见 她 对 丈 夫 说 :"老 头 子[1] ,

zhōngyú yǒu rén dǎ diànhuà lái le ! Yǒu érzi
终 于 有 人 打 电 话 来 了 ! 有 儿 子

hé wǒmen yìqǐ guò chúxī yè 　le ."
和 我 们 一 起 过 除 夕 夜[2] 了 。"

　　Tā zhǎodào lǎorén de jiā . Zhè shì yí
　　他 找 到 老 人 的 家 。 这 是 一

gè sìhéyuàn . Tā qiāokāi mén, kànjiàn
个 四 合 院[3] 。 他 敲[4] 开 门 , 看 见

liǎng wèi lǎorén — Tāmen de tóufa bái le ,
两 位 老 人 —— 他 们 的 头 发 白 了 ,

zǒulù yě hěn màn .
走 路 也 很 慢 。

　　Tā bù zhīdào zěnme chēnghu zhè liǎng
　　他 不 知 道 怎 么 称 呼[5] 这 两

wèi lǎorén . Lǎotàitai de yǎnjing hóng le ,
位 老 人 。 老 太 太 的 眼 睛 红 了 ,

zhāngzhe shuāng shǒu, shuō : " Érzi , nǐ
张 着 双 手,[6] 说 :"儿 子 , 你

zhōngyú huí jiā le ! " Tā tūrán xiǎngqǐle
终 于 回 家 了 ! " 他 突 然 想 起 了

zìjǐ de mǔqin . Tā de yǎnjing yě shī le .
自 己 的 母 亲 。 他 的 眼 睛 也 湿[7] 了 。

Tā jiàole yì shēng : " Mā , érzi huílái
他 叫 了 一 声 :"妈 , 儿 子 回 来

1 老头子: old man (an informal term for husband between old couples)

2 除夕夜: Spring Festival's Eve

3 四合院: a courtyard with houses on four sides

4 敲: knock

5 称呼: call, address
e.g. 他不知道怎么称呼这位老人。

6 张着双手: stretch one's arms

7 湿: wet

le ！" Tā gǎndào hǎoxiàng zhēn de huí jiā le
了！"他 感到 好 像 真 的 回家了

yíyàng .
一样。

Ránhòu , lǎorén dàizhe tā jìn wū le .
然后，老人 带着 他 进屋[1] 了。

Yí jìn wū , jiā de gǎnjué jiù lái le . Mǔqin
一进屋，家 的 感觉[2] 就 来 了。母亲

pāidǎzhe tā shēn shang de chéntǔ , fùqin
拍打[3] 着 他 身 上 的 尘土[4]，父亲

gěi tā dàole yì bēi shuǐ . Tā ràng lǎorénmen
给他倒了一杯[5]水。他 让 老人们

gǎndào tā jiùshì tāmen de érzi , tāmen de
感到他就是他们的儿子，他们的

érzi huí jiā guònián le . Mǔqin dàizhe tā
儿子回家过年了。母亲带着他

zǒujìn tā de fángjiān , shuō :" Nǐ de fángjiān
走进 他 的 房间，说：" 你 的 房间

zǎo jiù shōushi hǎo le . Zhèbiān shì xǐshǒujiān ,
早就 收拾[6] 好 了。这边 是 洗手间，

zhèbiān shì chúfáng . Nǐ xiān xǐ yi xǐ , ránhòu ,
这边 是 厨房。你 先 洗 一 洗，然后，

zánmen yìqǐ bāo jiǎozi ."
咱们 一起 包饺子[7]。"

Tā xǐle liǎn , zǒujìnle " tā " de
他洗了脸，走进了"他"的

1 屋: room, house
e.g. 朋友让我进屋去坐坐。

2 感觉: sense

3 拍打: flap

4 尘土: dust

5 杯: measure word for certain containers of liquids
e.g. 请给我一杯咖啡，谢谢。

6 收拾: tidy up
e.g. 屋子里又脏又乱，他正在收拾呢。

7 包饺子: wrap jiaozi (dumplings)
e.g. 北方人过春节喜欢包饺子吃。

fáng jiān.　Tūrán kàn jiàn yì zhāng dà zhàopiàn,
房　间。 突然 看见 一 张 大 照片,

zhàopiàn li shì yí ge èrshí suì zuǒyòu de
照 片 里 是 一 个 20 岁 左 右 的

nánháizi.
男孩子。

"Nà shì wǒmen de érzi."　Lǎorén
"那是 我们 的 儿子。" 老人

shuō.　Tā yì huí tóu,　fāxiàn lǎotóur　jiù
说。 他 一 回头, 发现 老头儿[1] 就

zhàn zài zìjǐ de shēnhòu.　Dàn lǎorén shuōwán
站 在 自己 的 身后。 但 老人 说完

zhè jù huà,　jiù bú zài shuōhuà le.
这 句 话, 就 不再 说 话 了。

Zhè shí,　mǔqin zài wàimiàn hǎn　qǐlái,
这时, 母亲 在 外面 喊[2] 起来,

"Xǐhǎole méiyǒu,　nǐmen yérliǎng　zài nàli
"洗好了 没有, 你们 爷儿俩[3] 在 那里

gàn shénme ne?"　Lǎotóur mǎshàng xiàozhe
干什么呢?" 老头儿 马上 笑着

shuō:"Hǎo le,　wǒmen mǎshàng jiù lái."
说:"好 了, 我们 马上 就来。"

Jiǎozi xiàn zǎo jiù zuòhǎo le.　Mǔqin gǎn
饺子馅[4] 早就 做好 了。母亲 擀

pír,　fùqin róu miàn.　Yǐqián guò Chūn Jié de
皮儿[5],父亲 揉 面[6]。以前 过 春节 的

1 老头儿: old man
e.g. 那个老头儿很爱喝酒。
2 喊: call
3 爷儿俩: father and son
4 饺子馅: dumpling stuffing
5 擀皮儿: roll out dumpling wrappers
6 揉面: knead dough

shíhou, tā zài zìjǐ de jiā li jiùshì zhèyàng
时候，他在自己的家里就是这样

de. Fùqin dǎkāile lúzi, shāoshuǐ,
的。父亲打开了炉子[1]，烧水[2]，

ránhòu zuò zài yì biān, kànzhe mǔqin hé érzi
然后坐在一边，看着母亲和儿子

bāo jiǎozi. Mǔqin láodao de nàxiē shìr,
包饺子。母亲唠叨[3]的那些事儿，

tā bù gǎn xìngqù, dàn tā zhīdào mǔqin xǐhuan
他不感兴趣，但他知道母亲喜欢

jiǎng, suǒyǐ jiù tīngzhe, yǒushí wèn yí jù,
讲，所以就听着，有时问一句，

mǔqin jiù tíng xiàlái, kànzhe tā, gěi tā
母亲就停下来，看着他，给他

mànmān jiǎng.
慢慢讲。

　　Rénmen xíguàn zhǔ jiǎozi zhīqián,
　　人们习惯[4]煮[5]饺子之前，

yào fàngfàng biānpào.
要放放鞭炮[6]。

　　Mǔqin zhè shí tèbié gāoxìng. Tā zhàn zài
　　母亲这时特别高兴。她站在

wū qián, kànzhe piàoliang de yānhuā, gāoxìng
屋前，看着漂亮的烟花[7]，高兴

de xiàozhe, shuō:"Zánmen yě gāi fàng
地笑着，说："咱们也该放

1 打开炉子: turn on a gas stove
2 烧水: boil water
3 唠叨: chatter
4 习惯: be accustomed to
5 煮: boil
6 放鞭炮: set off firecrackers
7 烟花: fireworks

biānpào le ." Yúshì, tā diǎnránle biānpào,
鞭炮了。"于是，他点燃了鞭炮[1]，

mǔqin gāoxìng de pāizhe shǒu, xiàng háizi
母亲高兴地拍着手，像孩子

yíyàng tiào qǐlái！
一样跳起来！

Ránhòu, tāmen yìqǐ chī jiǎozi,
然后，他们一起吃饺子，

yìqǐ kàn Chūn Jié wǎnhuì, yìqǐ shuōzhe
一起看春节晚会[2]，一起说着

xiàozhe, zhí dào mǔqin juéde lèi le . Mǔqin
笑着，直到母亲觉得累了。母亲

shuō :" Wǒ zhēn gāoxìng ā！ Kě wǒ zhēn lèi
说："我真高兴啊！可我真累

le ." Fùqin zǒu guòlái, shuō :" Nǐ děi
了。"父亲走过来，说："你得

xiūxi yíxià le ."
休息一下了。"

Wǎnshang tā shuì de fēicháng hǎo . Dāng
晚上他睡得非常好。当

zǎoshang de yángguāng zhàojìn fángjiān shí,
早上的阳光[3]照进房间时，

tā tūrán xǐnglái, zuò qǐlái, xiǎngle
他突然醒[4]来，坐起来，想了

xiǎng zuótiān fāshēng de shìqing.
想昨天发生的事情。

1 点燃了鞭炮：light firecrackers
2 春节晚会：the Spring Festival Evening Gala
3 阳光：sunshine
4 醒：wake up
e.g. 他每天早上七点钟醒来。

1 系扣子: fasten a button

2 取代: replace

3 位置: position

e.g. 没人能取代母亲在孩子心中的位置。

4 记着: remember

e.g. 他一直记着妈妈的话。

5 抽空儿: spare one's time

e.g. 虽然我很忙，但我一定抽空儿去看你。

6 眼眶一热: Tears nearly come out of his eyes.

7 轻轻地: lightly

8 擦眼泪: wipe tears

9 悄悄地: stealthily

e.g. 等孩子睡着了，他才悄悄地走出房间。

10 报酬: payment

Lǎorén zhīdào tā yào zǒu le . Lǎotàitai
老人知道他要走了。老太太
zǒu guòlái , gěi tā jìjì kòuzi , shuō :
走过来，给他系系扣子¹，说：
" Háizi , wǒ zhīdào , wǒ bù néng qǔdài nǐ
"孩子，我知道，我不能取代²你
mǔqin zài nǐ xīnzhōng de wèizhi , jìzhe ,
母亲在你心中的位置³，记着⁴，
zài wàimiàn de shíhou , cháng gěi jiā li dǎ gè
在外面的时候，常给家里打个
diànhuà , chōu kòngr huí jiā kànkan fùqin ,
电话，抽空儿⁵回家看看父亲、
mǔqin ... "
母亲……"

Tā juéde yǎnkuàng yí rè , kàndào
他觉得眼眶一热⁶，看到
lǎotàitai kū le , yúshì qīngqīng de wèi tā
老太太哭了，于是轻轻地⁷为她
cā yǎnlèi , shuō : " Wǒ zhīdào le . "
擦眼泪⁸，说："我知道了。"

Lǎotóur sòng tā chūlái , qiāoqiāo de
老头儿送他出来，悄悄地⁹
gěi tā yì zhāngqián , shuō : " Zhēn de fēicháng
给他一张钱，说："真的非常
xièxie nǐ , zhè shì nǐ de bàochou , wǒmen
谢谢你，这是你的报酬¹⁰，我们

ná bù chū gèng duō de qián lái le . "
拿不出 更 多 的 钱 来 了。"

　　Tā bú yào qián . Tā shuō : " Nǐmen ràng
　　他 不 要 钱。他 说 : "你 们 让

wǒ míngbaile hěn duō shìqing . "
我 明 白 了 很 多 事 情。"

　　Lǎotóur duì tā shuō : " Lǎotàitai bìng
　　老 头 儿 对 他 说 : "老 太 太 病

le ! Tā zuì dà de xīnyuàn jiùshì néng zài hé
了! 她 最 大 的 心 愿¹ 就 是 能 再 和

érzi guò gè chúxī yè , yì jiā rén yìqǐ bāo
儿 子 过 个 除 夕 夜, 一 家 人 一 起 包

jiǎozi , chī jiǎozi . "
饺 子, 吃 饺 子。"

　　Tā méi tīng qīngchu lǎorén shuōle shénme ,
　　他 没 听 清 楚 老 人 说 了 什 么,

dànshì tā tūrán juéde zìjǐ biàn le .
但 是 他 突 然 觉 得 自 己 变 了。

　　Líkāile lǎorén de jiā , tā mǎshàng
　　离 开 了 老 人 的 家, 他 马 上

pǎo xiàng diànhuàtíng , gěi zìjǐ jiā li dǎ
跑 向 电 话 亭², 给 自 己 家 里 打

diànhuà . Diànhuà li chuánláile tā mǔqin
电 话。电 话 里 传 来 了 他 母 亲

de shēngyīn , mǔqin zài diànhuà li jiào tā de
的 声 音, 母 亲 在 电 话 里 叫 他 的

1 心愿: wish
e.g. 帮助别人是他的
心愿。

2 电话亭: telephone
box

míngzi !　Tā kū le .

名字！他哭了。

　　Tā　kūzhe shuō :" Mā ,　wǒ xiǎng huí

他 哭 着 说 :" 妈 ，我 想 回

jiā ! "　Pángbiān de　yí　gè xiǎojiě qíguài de

家 ！" 旁边 的 一 个 小 姐 奇怪 地

kànzhe tā .　Tā dāngrán bù zhīdào ,　zhège dǎ

看着他。她 当 然 不 知 道 ，这 个 打

diànhuà de rén shì　yí　gè táofàn　.

电 话 的 人 是 一 个 逃犯 [1]。

1 逃犯：escaped criminal

This story has been simplified according to Zong Lihua's mini-story, "Hire a Son to Celebrate the Spring Festival (租个儿子过年)", published in the *Moving Your Life Mini-story Collection* (感动你一生的微型小说全集), edited by Teng Gang (滕刚), Ru Rongxing (汝荣兴), Huashan Literature and Art Publishing House (花山文艺出版社), Shijiazhuang, 2007.

About the author Zong Lihua（宗利华）：

Zong Lihua is a member of the China Writers Association, Vice-chairman of the China Mini-story Association and the Shandong Writers Association. He was born in 1971, and used to work as a policeman. He published many mini-stories in magazines and newspapers. Zong Lihua began to write mini-stories in 1996, when he graduated from Lu Xun Academy of Literature. He published three novels 惊梦伊甸园 (*Jīng Mèng Yīdiànyuán*), 丐世英雄 (*Gài Shì Yīngxióng*), 越跑越快 (*Yuè Pǎo Yuè Kuài*), and other mini-story collections 越位 (*Yuèwèi*), 皮影王 (*Píyǐng Wáng*) and 租个儿子过年. He won the 2003-2004 China Mini-story Golden Sparrow Prize（中国小小说金麻雀奖）and the 2001 National Excellent Mini-story Prize. He has also won many other awards and prizes.

思考题：

1. 这对老人为什么想要租个儿子过年？
2. 这个年轻人在老人家里感觉怎么样？
3. 这个年轻人收了老人的钱吗？为什么？

十、你是我的兄弟[1]
Shí　　　Nǐ Shì Wǒ de Xiōngdì

yuánzhù：Lǚ Xīnjiàn
原 著：吕新建

---

1 兄弟：brother

十、你是我的兄弟

Guide to reading:

The protagonist of this story, Hu Xiaozhong (胡 小 仲), is an upright young man. However he kills Mr. Ma (马厂 长), the head of the factory where he works, in order to protect a young woman also working at the factory from being harassed. Hu Xiaozhong is subsequently sentenced and sent to prison. Another prisoner, called Xiaowu (小五) is also an honorable man. He was sent to prison for kidnapping his boss who had not paid his workers their wages. Wu Delin (吴得 林) is a prison guard and a man of integrity. Wu Delin tells Hu Xiaozhong and Xiaowu that they are like brothers to him and that if they are well-behaved in prison, he will help them commute their sentences. This story explores the emotional connections that develop among people of integrity and honor.

故事正文：

Hú Xiǎozhòng láidào yí gè gōngchǎng, zài
胡小仲来到一个工厂[1]，在

gōngchǎng dǎgōng. Gōngchǎng de chǎngzhǎng
工厂打工[2]。工厂的厂长[3]

xìng Mǎ. Rénmen jiào tā Mǎ chǎngzhǎng. Yì
姓马。人们叫他马厂长。一

tiān, tā hēle jiǔ, kàndào yí gè piàoliang de
天，他喝了酒，看到一个漂亮的

dǎgōngmèi, jiù bǎ zhège dǎgōngmèi tuōjìn
打工妹[4]，就把这个打工妹拖[5]进

tā de bàngōngshì, xiǎng wǔrǔ tā.
他的办公室，想侮辱[6]她。

Hú Xiǎozhòng kànjiàn le, jiù pǎo guòqù
胡小仲看见了，就跑过去

duì Mǎ chǎngzhǎng shuō：" Mǎ chǎngzhǎng, nǐ
对马厂长说："马厂长，你

hēzuì le, fàngle tā ba." Mǎ chǎngzhǎng
喝醉[7]了，放了她吧。"马厂长

shénme yě méi shuō, náqǐ zhuōzi shang de
什么也没说，拿起桌子上的

dōngxi dǎ xiàng Hú Xiǎozhòng, hái mà tā：
东西打向胡小仲，还骂[8]他：

" Shéi ràng nǐ guǎn xiánshì！" Hú Xiǎozhòng
"谁让你管闲事[9]！"胡小仲

1 工厂: factory
2 打工: do temporary
work; work part-time
e.g. 家里很穷，为了
多挣些钱他到大城市
去打工了。
3 厂长: head of a fac-
tory
4 打工妹: employed
female worker
5 拖: pull
6 侮辱: insult
7 醉: drunk
e.g. 他今天喝醉了。
8 骂: curse
9 管闲事: poke one's
nose into another's
business

也非常生气，他接住了打过来
的东西，然后又把它打过去。
没想到，这件东西打到了马
厂长的头上，把马厂长
打死了。因为这件事，胡小仲
被判刑[1]，进了监狱[2]。

在监狱里，一个叫黑子[3]的
犯人[4]想越狱[5]，经常[6]跟胡
小仲说越狱的事。胡小仲
非常想自己的母亲。他母亲有
病，身体不好，他很担心母亲
的身体。胡小仲心里想：等
自己从监狱里出来，可能都见

1 判刑：impose a sentence on sb.

2 监狱：prison

3 黑子：name of a prisoner

4 犯人：prisoner

5 越狱：escape from prison

6 经常：often

bu dào mǔqin le . Suǒyǐ tā yě xiǎng gēn
不 到 母 亲 了。 所 以 他 也 想 跟

Hēizi yìqǐ yuèyù .
黑子一起越狱。

Yì tiān fàngfēng de shíhou , Hú Xiǎozhòng
一天放风¹的时候，胡小仲

kànle jiānyù wéiqiáng de qiángjiǎo , nàli
看了监狱围墙²的墙角³，那里

méiyǒu diànwǎng . Zhèshí , yí gè guǎnjiào
没有电网⁴。这时，一个管教⁵

zǒu guòlái le . Zhège guǎnjiào shì xīn lái de ,
走过来了。这个管教是新来的，

jiào Wú Délín . Wú Délín dàshēng duì tā shuō :
叫吴得林。吴得林大声对他说：

" Hú Xiǎozhòng , nǐ zài kàn nàge qiángjiǎo shì
"胡小仲，你在看那个墙角是

bu shì ? Nǐ kàn nàr méiyǒu diànwǎng . Zhè
不是？你看那儿没有电网。这

shì yí gè róngyì chū wèntí de dìfang , xièxie
是一个容易出问题的地方，谢谢

nǐ yòng yǎnjing gàosu wǒ ! " Hú Xiǎozhòng
你用眼睛告诉我！" 胡小仲

gǎndào hěn qíguài , Wú Délín wèi shénme shuō
感到很奇怪，吴得林为什么说

zhèxiē huà ne ?
这些话呢？

1 放风: let prisoners out for exercise
2 围墙: enclosing wall
3 墙角: corner of the wall
4 电网: electrified wire fence
5 管教: prison police

Zhège méiyǒu diànwǎng de qiángjiǎo shì
这个没有电网的墙角是

Hēizi gàosu tā de. Jīntiān, Hú Xiǎozhòng
黑子告诉他的。今天，胡小仲

zài fàngfēng de shíhou kàndàole zhège qiángjiǎo.
在放风的时候看到了这个墙角。

Méi xiǎngdào ràng Wú Délín kàndào le. Tā
没想到让吴得林看到了。他

bù zhīdào Wú Délín zěnme huì biǎoyáng tā.
不知道吴得林怎么会表扬¹他。

Tā hěn qíguài. Bàn gè yuè yǐhòu, nàge
他很奇怪。半个月以后，那个

qiángjiǎo ānshàngle diànwǎng. Tāmen bù néng
墙角安上²了电网。他们不能

cóng nàli yuè yù le.
从那里越狱了。

Yì tiān, yǒu yí gè jiào Xiǎowǔ de fànrén
一天，有一个叫小五的犯人

xiǎng zìshā. Hú Xiǎozhòng fāxiàn hòu,
想自杀³。胡小仲发现后，

mǎshàng bàogàole guǎnjiào. Xiǎowǔ jìn
马上报告⁴了管教。小五进

jiānyù yǐqián, hé Hú Xiǎozhòng yíyàng yě shì
监狱以前，和胡小仲一样也是

dǎgōng de, yīnwèi lǎobǎn bù fā gōngzī,
打工的，因为老板⁵不发工资⁶，

1 表扬：praise
2 安上：install
3 自杀：commit suicide
4 报告：report
5 老板：boss
6 工资：wage, pay

tā bǎng jià le lǎobǎn, hòulái tā yě bèi pànxíng,
他绑架¹了老板，后来他也被判刑，

jìnle jiānyù. Hú Xiǎozhòng juéde, Xiǎowǔ
进了监狱。胡小仲觉得，小五

jiù zhèyàng sǐle dehuà², tài méiyǒu yìyì³
就这样死了的话²，太没有意义³

le. Jiéguǒ Xiǎowǔ méiyǒu sǐ. Méi xiǎngdào,
了。结果⁴小五没有死。没想到，

yīnwèi zhè jiàn shì, Hú Xiǎozhòng lìgōng le.
因为这件事，胡小仲立功⁵了。

Hòulái Wú Délín xuānbù: Hú Xiǎozhòng
后来吴得林宣布⁶：胡小仲

céngjīng liǎng cì "zhǔdòng bàogào",
曾经⁷两次"主动报告⁸"，

yǒu lìgōng biǎoxiàn, jiǎnxíng yì nián. Hú
有立功表现，减刑⁹一年。胡

Xiǎozhòng gǎndòng jíle, tā bù zhīdào
小仲感动¹⁰极了¹¹，他不知道

zhège xīn lái de Wú guǎnjiào wèi shénme duì tā
这个新来的吴管教为什么对他

zhèyàng hǎo.
这样好。

Zài yí cì fàngfēng de shíhou, Hú
在一次放风的时候，胡

Xiǎozhòng wèn Wú Délín: "Wú guǎnjiào, nǐ
小仲问吴得林："吴管教，你

---

1 绑架: kidnap

2 的话: (used to indicate supposition)
e.g. 他要是越狱的话会被处罚的。

3 意义: significance
e.g. 他做了一件有意义的事。

4 结果: outcome

5 立功: do a deed of merit

6 宣布: declare

7 曾经: once, previously

8 主动报告: voluntarily report; 主动: voluntarily; 报告: report

9 减刑: commute a sentence

10 感动: be moved; be touched

11 极了: extremely

wèi shénme duì wǒ hǎo？" Wú Délín dīshēng duì
为 什 么 对 我 好？" 吴 得 林 低 声[1] 对

tā shuō：" Yīnwèi kànjiàn nǐ， wǒ jiù xiàng shì
他 说："因 为 看 见 你， 我 就 像 是

kànjiànle zìjǐ de xiōngdì …" Wú Délín
看 见 了 自 己 的 兄 弟……" 吴 得 林

shuō， Hú Xiǎozhòng hěn xiàng tā de dìdi。
说， 胡 小 仲 很 像 他 的 弟弟。

Tā duì Hú Xiǎozhòng shuō：" Wǒ hěn jìngpèi nǐ
他 对 胡 小 仲 说："我 很 敬 佩[2] 你

de zhèngyì hé yǒngqì。 Wǒ xiǎng zuò yí gè
的 正 义[3] 和 勇 气[4]。 我 想 做 一 个

xiàng nǐ zhèyàng de rén。 Nǐ shuō， wǒ zěnme
像 你 这 样 的 人。 你 说， 我 怎 么

huì bù bāng nǐ ne？"
会 不 帮 你 呢？"

Hú Xiǎozhòng zhè cái zhīdào Wú Délín wèi
胡 小 仲 这 才 知 道 吴 得 林 为

shénme duì tā hǎo。 Hòulái， zài Wú Délín
什 么 对 他 好。 后 来， 在 吴 得 林

de bāngzhù xià， Hú Xiǎozhòng yòu lìgōng le。
的 帮 助 下， 胡 小 仲 又 立 功 了。

Yīnwèi Hú Xiǎozhòng jīngcháng lìgōng， hòulái
因 为 胡 小 仲 经 常 立 功， 后 来

tā tíqián chū yù le。
他 提 前[5] 出 狱[6] 了。

1 低声: low voice
2 敬佩: admire
3 正义: justice
4 勇气: courage
5 提前: do sth. ahead of time
6 出狱: be released from prison

Zài Hú Xiǎozhòng chū jiānyù zhè tiān， tā
在 胡 小 仲 出 监狱 这天， 他

qù xiàng Wú Délín gàobié。 Méi xiǎngdào，
去 向 吴 得 林 告别 [1]。 没 想 到，

Xiǎowǔ yě zài zhè yì tiān chū yù。 Xiǎowǔ zěnme
小 五 也 在 这一 天 出 狱。 小 五 怎么

yě tíqián chū yù le？ Tāmen zǒuchū jiānyù hòu，
也 提前 出 狱了？ 他们 走出 监狱 后，

Hú Xiǎozhòng wèn Xiǎowǔ wèi shénme yě tíqián chū
胡 小 仲 问 小 五 为 什么 也 提前 出

yù le， Xiǎowǔ shuō：" Shì Wú Délín bāng
狱了， 小 五 说：" 是 吴 得 林 帮

wǒ de。 Wú Délín shuō wǒ tèbié xiàng tā de
我 的。 吴 得 林 说 我 特别 像 他 的

xiōngdì。 Tā tīngshuōle wǒ bǎngjià lǎobǎn de
兄弟。 他 听说 了 我 绑架 老板 的

shì。 Duì wǒ shuō， rúguǒ shì tā dehuà， tā
事。 对 我 说， 如果 是 他 的 话， 他

kěnéng yě huì bǎngjià nàge lǎobǎn。 Wú Délín
可能 也 会 绑架 那个 老板。 吴 得 林

shuō， zhǐyào wǒ rènzhēn gǎizào ， tā yídìng
说， 只要 我 认真 改造 [2]， 他 一定

huì bāng wǒ de。 Hòulái， zài Wú Délín de
会 帮 我 的。 后来， 在 吴 得 林 的

bāngzhù xià， wǒ lìgōng le， yě bèi jiǎnxíng
帮 助 下， 我 立功 了， 也 被 减刑

1 告别: say goodbye to
e.g. 大学毕业了,他告别了老师,告别了学校。

2 改造: remold one-self

le ， suǒyǐ wǒ jiù tíqián chū yù le ．"
了，所以我就提前出狱了。"

Hú Xiǎozhòng hěn qíguài ， Xiǎowǔ zhǎng
胡小仲很奇怪，小五长

de hé zìjǐ yìdiǎnr yě búxiàng， zěnme yě
得和自己一点儿也不像，怎么也

xiàng Wú Délín de xiōngdì ne？ Hú Xiǎozhòng
像吴得林的兄弟呢？胡小仲

wènle yí gè jiānyù guǎnjiào， Wú Délín yǒu jǐ
问了一个监狱管教，吴得林有几

gè xiōngdì， nàge guǎnjiào shuō："Wú Délín
个兄弟，那个管教说："吴得林

méiyǒu xiōngdì a， tā zhǐyǒu yí gè mèimei．"
没有兄弟啊，他只有一个妹妹。"

Hú Xiǎozhòng zhōngyú míngbai， Wú Délín
胡小仲终于明白，吴得林

bāngzhù tāmen， shì yīnwèi pèifu tāmen shēn
帮助他们，是因为佩服¹他们身

shang de zhèngyì hé yǒngqì． Tā xīntóu yí rè，
上的正义和勇气。他心头一热，

yǎnjing yǒudiǎnr shī le． Zài kànkan shēnbiān
眼睛有点儿湿了。再看看身边

de Xiǎowǔ， tā de yǎnjing yě hóng le．
的小五，他的眼睛也红了。

1 佩服：admire
e.g. 我真佩服他有这样的勇气。

This story has been simplified according to Lv Xinjian's mini-story, "You are My Brother(你是我兄弟)", published in the *Moving Your Life Mini-story Collection* (感动你一生 的微型小说全集), edited by Teng Gang (滕刚) and Ru Rongxing (汝荣兴), Huashan Literature and Art Publishing House (花山文艺出版社), Shijianzhuang, 2007.

思考题：

1. 胡小仲为什么进了监狱？
2. 关于吴得林为什么帮助胡小仲，他自己是怎么说的？
3. 吴得林是怎样帮助胡小仲的？
4. 吴得林真的有兄弟吗？
5. 吴得林为什么帮助胡小仲和小五？

十一、流泪[1]的月亮

原著：陈　永林

十一、 流泪的月亮

Guide to reading:

The heroine of this story, Xiaofan (晓帆), is a beautiful young lady who is married but is unhappy because she feels that no man loves her sincerely. She desires love and happiness, but believes that men regard her merely as an object to be traded which is bitterly hurtful to her feelings. Traditionally, the moon symbolizes a female who is pure and beautiful. In this story, beautiful Xiaofan lives in tears.

故事正文：

Wǔ nián qián， Xiǎofān kàn jiànguò yuèliang
五年前，晓帆看见过 月亮

liú lèi.
流泪。

Nà shíhou， Xiǎofān èrshísì suì， niánqīng,
那时候，晓帆 2 4 岁，年轻[1]、

piàoliang. Tā zǒu dào nǎli， dōu huì yǒu
漂亮。她走到哪里，都会有

nánrénmen de mùguāng luò zài tā shēnshang.
男人们的目光[2]落[3]在她身上。

Xiǎofān cóng nánrén de mùguāng zhōng zhīdào
晓帆从男人的目光中知道

zìjǐ hěn měi.
自己很美。

Xiǎofān yě gǎndào zìjǐ hěn měi. Tā de
晓帆也感到自己很美。她的

pífū bái， tuǐ cháng， wǔguān yě tèbié
皮肤[4]白，腿长，五官[5]也特别

piàoliang.
漂亮。

Nà yì tiān， zài yí gè bīnguǎn de
那一天，在一个 宾馆 的

fángjiān li， yì shuāng lǎonánrén de shǒu zhèng
房间里，一双老男人的手正

1 年轻: young
2 目光: eyes
3 落: fall down
4 皮肤: skin
5 五官: facial features

zài tā piàoliang de shēntǐ shang wéisuǒyùwéi

在她漂亮的身体上为所欲为[1]。

Xiǎofān gǎndào jǐnzhāng ， hàipà 。 Xiǎofān

晓帆感到紧张[2]、害怕。晓帆

yǐjīng jiéhūn le ， shì yǒu zhàngfu de nǚrén 。

已经结婚了，是有丈夫的女人。

Kěshì tā de zhàngfu wéile dāng gōngsī de

可是她的丈夫为了当公司的

fùzǒngjīnglǐ ， ràng tā dào bīnguǎn qù jiàn

副总经理[3]，让她到宾馆去见

zhège gōngsī de zǒngjīnglǐ ， yě jiùshì fángjiān

这个公司的总经理，也就是房间

li de zhège lǎonánrén 。

里的这个老男人。

Zhège lǎonánrén duì tā shuō ："Fàngsōng

这个老男人对她说："放松[4]，

bú yào jǐnzhāng ， bú yào pà ， wǒ bú huì kuīdài

不要紧张，不要怕，我不会亏待[5]

nǐ de nánren de 。 Wǒ xiān ràng tā dāng wǒ de

你的男人的。我先让他当我的

fùzǒngjīnglǐ ， děng wǒ lǎo le ， wǒ hái ràng nǐ

副总经理，等我老了，我还让你

de nánren dāng zǒngjīnglǐ 。"

的男人当总经理。"

Xiǎofān fēicháng jǐnzhāng ， tā xiǎngqǐle

晓帆非常紧张，她想起了

1 为所欲为: do as one wants

e.g. 你怎么敢这样为所欲为？

2 紧张: nervous

e.g. 他因为紧张考试没考好，心里很难受。

3 副总经理: deputy general manager; 副: deputy; 总经理: general manager

4 放松: relax

5 亏待: treat unfairly

zhàngfu duì tā shuō de huà :" Xiǎofān, qiú

丈 夫 对 她 说 的 话 :" 晓 帆, 求 [1]

nǐ le, jiù zhè yí cì. Yǐhòu, děng wǒ

你 了, 就 这 一 次。以 后, 等 我

dāngshàng fùzǒngjīnglǐ, wǒ yídìng huì hǎohāo

当 上 副 总 经 理, 我 一 定 会 好 好

de ài nǐ. Zhè yí cì nǐ rěn yi rěn … "

地 爱 你。这 一 次 你 忍 [2] 一 忍 …… "

Wèile tā de zhàngfu néng dāngshàng fùzǒng-

为 了 她 的 丈 夫 能 当 上 副 总

jīnglǐ, Xiǎofān tòngkǔ de bìshàng yǎnjing.

经 理, 晓 帆 痛 苦 地 [3] 闭 [4] 上 眼 睛。

Tā tǎng zài chuáng shang, ràng zhège lǎonánrén

她 躺 在 床 上 [5], 让 这 个 老 男 人

wéisuǒyùwéi.

为 所 欲 为。

Xiǎofān hánzhe yǎnlèi zǒuchūle bīnguǎn

晓 帆 含 着 眼 泪 [6] 走 出 了 宾 馆

fángjiān. Tā zǒuchū bīnguǎn, kànzhe tiānshang

房 间。她 走 出 宾 馆, 看 着 天 上

de yuèliang. Jīnwǎn, tā kànjiàn yuèliang liú

的 月 亮。今 晚, 她 看 见 月 亮 流

lèi le, tā yòngshǒu bǎ liúzhe yǎnlèi de liǎn

泪 了, 她 用 手 把 流 着 眼 泪 的 脸

méng qǐlái.

蒙 [7] 起 来。

1 求: beg
🅔🅖 他经常求朋友为
他做事。
2 忍: bear, endure
3 痛苦地: painfully
4 闭: close
5 躺在床上: lie on the
bed
6 含着眼泪: have tears
in one's eyes
7 蒙: cover

Tā zhàngfu zài sānshí suì de shíhou
她 丈 夫 在 30 岁 的 时 候

dāngshàngle gōngsī de fùzǒngjīnglǐ. Dāngshàng
当 上 了 公 司 的 副 总 经 理。当 上

fùzǒngjīnglǐ de zhàngfu tèbié máng, wǎnshang
副 总 经 理 的 丈 夫 特 别 忙， 晚 上

yě bù huí jiā. Zìcóng zhàngfu dāngshàng
也 不 回 家。 自 从 丈 夫 当 上

fùzǒngjīnglǐ, tā shēnbiān zǒng yǒu piàoliang
副 总 经 理，他 身 边 总 有 漂 亮

de nǚrén, tā hěn gāoxìng, tiāntiān
的 女 人， 他 很 高 兴， 天 天

dēnghóngjiǔlù.
灯 红 酒 绿 ¹。

Xiǎofān kūguò, gēn zhàngfu chǎoguò,
晓 帆 哭 过， 跟 丈 夫 吵 ² 过，

kěshì zhàngfu què bù gǎndào xiūchǐ, hái duì tā
可 是 丈 夫 却 不 感 到 羞 耻 ³， 还 对 她

shuō, "Nǐ kěyǐ ràng biéde nánrén wán, wǒ
说，"你 可 以 让 别 的 男 人 玩 ⁴， 我

wèi shénme bù néng wán biéde nǚrén?" Xiǎofān
为 什 么 不 能 玩 别 的 女 人？" 晓 帆

tīngle zhàngfu de huà fēicháng shāngxīn.
听 了 丈 夫 的 话 非 常 伤 心 ⁵。

Zài Xiǎofān tòngkǔ de shíhou, Zhìjié
在 晓 帆 痛 苦 的 时 候， 智 杰

1 灯红酒绿: scenes of feasting and revelry
2 吵: quarrel
e.g. 他们经常吵。
3 羞耻: shame
4 玩: play; dally with (a woman)
5 伤心: sad, grieved

láidào tā jiā . Zhìjié yǐqián xǐhuanguò Xiǎofān,
来到她家。智杰以前喜欢过 晓帆,

hái sòng gěi Xiǎofān yí gè hóngdòu shǒuzhuó .
还 送 给 晓 帆 一个 红 豆 手 镯[1]。

Xiǎofān gěi Zhìjié dàole chá , shuō : " Jiàndào
晓帆给智杰倒了茶, 说:"见到

nǐ zhēn gāoxìng . "
你 真 高 兴。"

" Wǒ yě shì . " Zhìjié shuō zhè huà shí,
"我也是。"智杰说这话时,

liǎn hóng le . Zhìjié háishi xiàng yǐqián yíyàng,
脸 红 了。智杰还是 像 以前一样,

yìdiǎnr yě méi biàn .
一点儿也没 变。

Xiǎofān xiào le . Xiǎofān yí xiào, Zhìjié
晓 帆 笑 了。晓 帆 一 笑, 智杰

de liǎn gèng hóng le .
的 脸 更 红 了。

Xiǎofān zǒu dào fáng jiān li , náchū yì zhī
晓 帆 走 到 房 间 里, 拿出一只

hóngdòu shǒuzhuó . Zhè hóngdòu shǒuzhuó shì
红 豆 手 镯。 这 红 豆 手 镯 是

Zhìjié sòng gěi tā de . Zhìjié hái shuōguò yào
智杰送给她的。 智杰还 说 过 要

sòng gěi tā yì zhī jīn shǒuzhuó . Xiǎofān shuō :
送 给 她 一 只 金 手 镯[2]。 晓 帆 说:

1 红豆手镯: bracelet made of red beans; 红豆: red beans symbolizing love and the memory of love.

2 金手镯: gold bracelet

"Nǐ hái méi gěi wǒ jīn shǒuzhuó ne."
"你还没给我金手镯呢。"

"Hǎo, wǒ míngtiān jiù sòng nǐ."
"好，我明天就送你。"

Dì-èr tiān wǎnshang, Xiǎofān qùle
第二天晚上，晓帆去了

bīnguǎn. Tā láidào bīnguǎn de bālíngbā
宾馆。她来到宾馆的808

fángjiān. Zhìjié zuò zài chuáng shang kàn
房间。智杰坐在床上看

diànshì. Tā kànjiàn Xiǎofān de shǒuwàn
电视。他看见晓帆的手腕

shang dài zhe nà zhī hóngdòu shǒuzhuó, xīnli
上戴着那只红豆手镯，心里

hěn gǎndòng[1]. Tā cóng kǒudài[2] li náchū yì
很感动[1]。他从口袋[2]里拿出一

zhī jīn shǒuzhuó, shuō: "Zhè shì wǒ gěi nǐ de
只金手镯，说："这是我给你的

jīn shǒuzhuó." Zhìjié yì shuōwán jiù bǎ Xiǎofān
金手镯。"智杰一说完就把晓帆

lǒu zài huái li.
搂[3]在怀里[4]。

Xiǎofān zài Zhìjié de huái li gǎndào hěn
晓帆在智杰的怀里感到很

xìngfú. Xiǎofān zhīdào Zhìjié hái méi jiéhūn.
幸福。晓帆知道智杰还没结婚。

1 感动: be moved; be touched
e.g. 他帮她干活，她很感动。
2 口袋: pocket
3 搂: embrace
4 怀里: in one's arms

Rúguǒ　Zhìjié　yuànyì gēn tā　jiéhūn dehuà
如果 智杰 愿意 跟 她 结婚 的 话 [1]，

tā　jiù gēn zhàngfu　líhūn　．　Xiǎofān zhèyàng
她 就 跟 丈 夫 离婚 [2]。 晓 帆 这 样

xiǎngzhe，　kěshì bù hǎo　yìsi　shuō chūlái．
想 着，可是 不好 意思 [3] 说 出来。

　　Zhè shí，　Zhìjié shuō：" Xiǎofān，　wǒ
　　这时，智杰 说："晓帆，我

xiǎng qiú nǐ yí jiàn shì．"
想 求 你 一 件 事。"

　　Xiǎofān shuō：" Nǐ shuō ba，　zhǐyào wǒ
　　晓帆 说："你 说 吧，只要 我

néng bāngmáng，　wǒ yídìng bāng nǐ．"
能 帮 忙，我 一定 帮 你。"

　　Zhìjié shuō：" Nǐ zhīdào，　wǒ de dānwèi
　　智杰 说："你 知道，我 的 单位 [4]

bù hǎo，　gōngzī　zhǐ fā bǎi fēn zhī bāshí，　wǒ
不好，工资 [5] 只 发　80%　，我

hěn xiǎng huàn gè hǎo　yìdiǎnr　de dānwèi，　nǐ
很 想 换 个 好 一点儿 的 单位，你

néng bù néng gēn nǐ zhàngfu shuō yi shuō，　ràng
能 不 能 跟 你 丈 夫 说 一 说， 让

wǒ dào tā de gōngsī qù gōngzuò　…… "
我 到 他 的 公司 去 工作……"

　　Xiǎofān xiàozhe shuō：" Hǎo ā．"
　　晓帆 笑着 说："好 啊。"

1 的话: (used to indicate a supposition)
2 离婚: divorce
3 不好意思: shy, embarrassed
4 单位: work unit
5 工资: wage, pay

Hòulái, Xiǎofān méi zài shuō yí jù
后来，晓帆没再说一句
huà. Tā xīn li tèbié nánshòu, què rěnzhe
话。她心里特别难受，却忍着
méiyǒu ràng yǎnlèi liú chūlái. Xiǎofān yì
没有让眼泪流出来。晓帆一
zǒuchū bīnguǎn de fángjiān, yǎnlèi jiù liú
走出宾馆的房间，眼泪就流
chūlái le. Tā hánzhe yǎnlèi kànkan tiān
出来了。她含着眼泪看看天
shang de yuèliang, tā yòu yí cì kànjiàn
上的月亮，她又一次看见
yuèliang zài liú lèi. Xiǎofān bǎ shǒuwàn
月亮在流泪。晓帆把手腕 [1]
shang de hóngdòu shǒuzhuó qǔ xiàlái, shēngqì
上的红豆手镯取下来，生气
de bǎ xiàn chěduàn le. Diào zài dì shang
地把线扯断 [2] 了。掉 [3] 在地上
de yì kē kē hóngdòu, jiù hǎoxiàng shì
的一颗 [4] 颗红豆，就好像是
yuèliang diàoxià de yì dī dī yǎnlèi.
月亮掉下的一滴滴眼泪 [5]。

1 手腕：wrist
2 把线扯断：tear a thread
3 掉：drop (on the floor)
4 颗：(classifier) for small and round things
e.g. 这颗豆子真红。
5 一滴滴眼泪：tear-drop

This story has been simplified according to Chen Yonglin's mini-story, "The Moon Shedding Tears (流泪的月亮)", published in *One Hundred Mini-stories that Moved College Students* (感动大学生的 100 篇微型小说), edited by Liu Haitao (刘海涛), Jiuzhou Publishing House (九州出版社), Beijing, 2004.

About the author Chen Yonglin (陈永林):

Chen Yonglin is a member of the China Writers Association and the China Mini-story Association. He was born in 1972, in Duchang (都昌), Jiangxi (江西) Province. He began to publish his work when he was 17 years old. He has published ten collections of short stories. His notable works include 上学的路有多远 (*Shàng Xué de Lù Yǒu Duō Yuǎn*), 婚殇 (*Hūn Shāng*), 栽种爱情 (*Zāizhòng Àiqíng*), and 胆小鬼 (*Dǎnxiǎoguǐ*). He won the 2006 China Mini-story Golden Sparrow Prize as well as many other awards and prizes. His stories have been translated into English, French, Japanese and other languages.

思考题：

1. 晓帆漂亮吗？她的丈夫爱她吗？
2. 晓帆的丈夫是一个什么样的人？晓帆为丈夫做的什么事伤心？
3. 智杰是谁？他为什么来看晓帆？
4. 晓帆见到智杰很高兴，后来发生了什么？
5. 为什么晓帆看见月亮流泪了？

Shí'èr   Tángcù Àiqíng

十二、糖醋爱情 ¹

yuánzhù : Hǎi Fēi

原著：海飞

1 糖醋爱情: sweet
and sour love; 爱情:
love

十二、　糖醋爱情

Guide to reading:

This story is about a general manager's love for his divorced
wife that makes him feel sweet and sour (sad). The general
manager divorced her because of his dissipated life. Howev-
er, one day, he thinks about his former wife and contacts her
to ask her to cook her special sweet and sour spareribs (糖
醋排骨) for him. When they are ready, he goes to see his
former wife and slowly savors the spareribs. However, when
he is at her house, his former wife's lover comes home. He
tries to hold back his tears, but he can't. Although the spare-
ribs are delicious, he only feels sadness knowing his former
wife has a relationship with another man.

故事正文：

Tā shì yí gè gōngsī de zǒngjīnglǐ .
他 是 一 个 公司 的 总经理[1]。

Tā hěn yǒu qián . Tā yìzhí shēnghuó zài
他 很 有 钱。 他 一 直 生 活 在

dēnghóngjiǔlǜ zhī zhōng . Yóuyú shēnbiān de
灯红酒绿[2] 之 中 。 由于 身边 的

nǚrén tài duō le , tā yě jì bu zhù tāmen de
女人 太 多 了， 他 也 记 不 住 她们 的

yàngzi . Yǒu yì tiān tā de qīzi lái dào gōngsī ,
样子。 有 一 天 他 的 妻子 来 到 公司，

méi qiāo mén jiù jìnle tā de bàngōngshì . Tā
没 敲[3] 门 就 进 了 他 的 办公室。 他

qīzi kàndào tā hé tā de nǚ mìshū zài
妻子 看 到 他 和 他 的 女 秘书[4] 在

yìqǐ , bú shì zài gōngzuò , ér shì zuò nàzhǒng
一起， 不 是 在 工 作， 而 是 做 那 种

bù yīnggāi zuò de shì . Ránhòu , qīzi jiù gēn tā
不 应该 做 的 事。 然后， 妻子 就 跟 他

líhūn le .
离婚[5] 了。

Tā de bàngōngshì hěn dà . Yì tiān tā zuò
他 的 办公室 很 大。 一 天 他 坐

zài bàngōngshì li , juéde xīnli kōng . Tā
在 办公室 里， 觉得 心里 空[6]。 他

1 总经理: general manager
2 灯红酒绿: scenes of feasting and revelry
3 敲: knock
  e.g 他听见有人敲门。
4 秘书: secretary
5 离婚: divorce
6 空: empty
  e.g 这个房间是空的。
7 窗外: outside the window

看着窗外[7]，想做点儿什么。

突然，他很想吃前妻[1]做的糖醋排骨[2]。

他心情慌乱地[3]给前妻打电话。这让他想起第一次跟前妻约会[4]的时候，他也是这样的心情。前妻想了一会儿，说："别来了，我们都离婚了。"他说："我还是来吧！我很想吃你做的糖醋排骨，就这一次。"前妻终于说："好吧！"

一刻钟后[5]，他开着他的别克车[6]来到前妻家的楼下。他很

1 前妻: former wife
2 糖醋排骨: sweet and sour spareribs
3 慌乱地: in a fluster
4 约会: appointment
5 一刻钟后: in a quarter
6 别克车: Buick car

cháng shíjiān méi lái zhèli le . Tā qiāokāi qiánqī
长 时间没来这里了。他敲开前妻

jiā de mén , mén kāi le , tā kàndào qiánqī
家 的 门 ， 门 开 了 ， 他 看 到 前 妻

huàle dànzhuāng , tā kàn shàngqù bǐ yǐqián
化 了 淡 妆 [1]， 她 看 上 去 比 以 前

piàoliang duō le . Zhè ràng tā gǎndào gāoxìng .
漂 亮 多 了 。 这 让 他 感 到 高 兴 。

　　Tā zuò zài shāfā li , kànzhe qiánqī zuò
　　他 坐 在 沙 发 [2] 里 ， 看 着 前 妻 做

tángcùpáigǔ . Tā tūrán juéde tā shēnbiān de
糖 醋 排 骨 。 他 突 然 觉 得 他 身 边 的

nàxiē nǚrén , dōu méiyǒu qiánqī piàoliang . Tā
那 些 女 人 ， 都 没 有 前 妻 漂 亮 。 他

kāishǐ hòuhuǐ . Rúguǒ bù líhūn , nàme měi
开 始 后 悔 [3]。 如 果 不 离 婚 ， 那 么 每

tiān zài shāfā li kàn qiánqī zuò cài de rén yīnggāi
天 在 沙 发 里 看 前 妻 做 菜 的 人 应 该

háishi tā . Tīng qiánqī láodao de rén yě háishi
还 是 他 。 听 前 妻 唠 叨 [4] 的 人 也 还 是

tā . Tā kànzhe qiánqī , xiǎngzhe tāmen yǐqián
他 。 他 看 着 前 妻 ， 想 着 他 们 以 前

nà tiánměi ér xìngfú de àiqíng .
那 甜 美 [5] 而 幸 福 的 爱 情 。

　　Tā yìbiān kànzhe zài chúfáng li zuò
　　他 一 边 看 着 在 厨 房 里 做

1 化了淡妆：lightly made-up

2 沙发：sofa

3 后悔：regret
e.g.他离婚一年了，他很后悔。

4 唠叨：chatter
e.g.他妻子总是唠叨。

5 甜美：sweet

tángcùpáigǔ　de　qiánqī，　　yìbiān　xiǎngzhe．
糖醋排骨的前妻，一边想着。

Qiánqī bǎ　tángcùpáigǔ　zuòhǎo le，　duān dào
前妻把糖醋排骨做好了，端¹到

tā miànqián，　shuō："Nǐ zhīdào tángcùpáigǔ
他面前，说："你知道糖醋排骨

wèi shénme hǎochī ma？Yīnwèi tā shì tián de，
为什么好吃吗？因为它是甜的，

yòu shì suān　de．"
又是酸²的。"

Zhè shí，　ménlíng xiǎng le，　zǒu jìnlái
这时，门铃响了，³走进来

yí gè nánrén．Qiánqī zài ménkǒu jiēguò nà
一个男人。前妻在门口接过那

nánrén de tíbāo　hé wàitào，　tāmen　tiēle
男人的提包⁴和外套⁵，他们贴⁶了

tiē liǎn．Zhè ràng tā hěn gāngà，　qiánqī méi
贴脸。这让他很尴尬⁷，前妻没

gàosu tā tā yǐjīng yǒule nánren．Zhège nánren
告诉他她已经有了男人。这个男人

lǐmào de　hé tā dǎ zhāohu shí，　tā kàn
礼貌地⁸和他打招呼⁹时，他看

chūlái zhè rén shì tā de shāngyè duìshǒu．Tā de
出来这人是他的商业对手¹⁰。他的

yí gè xiǎogōngsī jiù bèi zhège rén chīdiào　le．
一个小公司就被这个人吃掉¹¹了。

1 端：hold with two hands

e.g. 他给客人端茶。

2 酸：sour

e.g. 糖醋排骨又酸又甜，很好吃。

3 门铃响了：the door-bell rang

4 提包：handbag

5 外套：coat

6 贴：keep close; stick

e.g. 他把这张画儿贴在墙上。

7 尴尬：embarrassed

8 礼貌地：politely

9 打招呼：greet

e.g. 他跟朋友们打了个招呼。

10 商业对手：business rival

11 吃掉：wipe out; swallow up

Qiánqī hé nánrén zuò zài shāfā shang
前妻和男人坐在沙发上
kàn diànshì. Qiánqī zài zhī máoyī , hái
看电视。前妻在织毛衣[1]，还
názhe máoyī zài nánrén de shēn shang bǐzhe.
拿着毛衣在男人的身上比着。
Tángcùpáigǔ hěn xiāng , dàn tā de xīnli què
糖醋排骨很香[2]，但他的心里却
shì suān de. Jīntiān, tā chóngxīn rènshile
是酸的。今天，他重新[3]认识了
qiánqī. Tā yòu xiǎngqǐ qiánqī de huà, " Nǐ
前妻。他又想起前妻的话，"你
zhīdào tángcùpáigǔ wèi shénme hǎochī ma?
知道糖醋排骨为什么好吃吗?
Yīnwèi tā shì tián de, yòu shì suān de. " Tā
因为它是甜的，又是酸的。"他
kāishǐ liú lèi, tā bù xiǎng liú lèi, dànshì
开始流泪[4]，他不想流泪，但是
méi bànfǎ, yǎnlèi háishi liú xiàlái le.
没办法，眼泪还是流下来了。

1 织毛衣: knit a sweater
2 香: delicious, appetizing
e.g. 他妻子做的菜特别香。
3 重新: anew, again
4 流泪: shed tears

This story has been simplified according to Hai Fei's ministory, "Sweet and Sour Love (糖醋爱情)", published in the *Listing of China Contemporary Mini-stories* (中国当代微型小说排行榜), edited by Bing Feng (冰峰), Chen Yamei (陈亚美), Lijiang Publishing House (漓江出版社), Guilin, 2004.

About the author Hai Fei (海飞):

Hai Fei was born in 1971 and is a member of the China Writers Association, and an editor for the magazine *Zhejiang Writers* (浙江作家). His most famous works include 花雕 (*Huādiāo*), a collection of novellas, 像老子一样生活 (*Xiàng Lǎozi Yíyàng Shēnghuó*), and the plays, 旗袍 (*Qípáo*) and 四小名旦 (*Sì Xiǎo Míng Dàn*). He has won many prizes, the Youth Literature Prize, the People's Literature Prize, the Second Prize in the First Shanghai Literature Short Story Competition, and the 2008–2009 National Novella Prize. He also won the Ninth and Tenth National Excellent Mini-story Prize along with many other awards.

思考题：

1. 这个男人离婚后的生活快乐吗？
2. "他"为什么给"他"的前妻打电话？
3. 看到前妻后，"他"都想到了什么？
3. "他"为什么在吃糖醋排骨的时候流泪了？

十三、 女人

Guide to reading:

This story is about a young woman's experience of finding love. This young woman is beautiful, pure, elegant, and traditional. She dates four men at her different ages. She refuses the demands of the first three men. When the last man asks her for the same demands of the previous three men, she gives in. But at last, she is still deserted. The woman feels lost and extremely angry. Time is changing, but how can a woman find her true love?

故事正文：

Yǒu yí gè měilì de nǚrén, tā jiāoxiǎo
有一个美丽的女人，她娇小
kě'ài, ràng rén xǐ'ài. Yǒu hěn duō nánrén
可爱[1]，让人喜爱。有很多男人
zhuī zhège piàoliang de nǚrén.
追[2] 这个漂亮的女人。

Zhège nǚrén gǔpǔ diǎnyǎ, chuántǒng
这个女人古朴[3]典雅[4]，传统[5]
fēngbì. Tā hěn zìzhòng, yě hěn shènzhòng.
封闭[6]。她很自重[7]，也很慎重[8]。
Dànshì tā bú shì xiānnǚ, tā yě yào tánqíng-
但是她不是仙女[9]，她也要谈情
shuō'ài, yě yào jiéhūn.
说爱[10]，也要结婚。

Zhège nǚrén èrshí suì le, gāi tán
这个女人20岁了，该谈
nánpéngyou le.
男朋友[11] 了。

Zài èrshí suì de shíhou, zhège nǚrén
在20岁的时候，这个女人
dì-yī cì jiēshòule yí gè nánrén de yuēhuì.
第一次接受[12]了一个男人的约会[13]。
Zài jìngjìng de gōngyuán li, nǚrén gēn nánrén
在静静[14]的公园里，女人跟男人

---

1 娇小可爱: delicate and lovable

2 追: chase (a girl)

3 古朴: simple

4 典雅: elegant

5 传统: traditional

6 封闭: closed

7 自重: self-respect; behave oneself with dignity

8 慎重: cautious, prudent

9 仙女: fairy; celestial female

10 谈情说爱: fall in love

11 谈朋友: to be in love with a boy or girl

12 接受: accept

e.g. 她没有接受他的礼物。

13 约会: date, appointment

14 静: quiet

shuōzhe qiāoqiāohuà.　Gānggāng jiēchù　yí gè
说 着 悄悄话 [1]。 刚 刚 接触 [2] 一个

wǎnshang,　zhège nánrén jiù yào lǒu　zhège
晚 上 , 这个男人就要搂 [3] 这个

nǚrén.　Nǚrén shuō bù.　Nánrén fēicháng
女人。 女人说不。男人非常

shēngqì.　Nánrén shuō nǐ zhème piàoliang,
生气。男人说你这么漂亮,

jiùshì tài fēngjiàn le,　xiànzài shì shénme
就是太封建 [4] 了,现在是什么

shídài le,　nǐ hái zhème fēngjiàn.　Nánrén
时代 [5] 了,你还这么封建。男人

shuōwán zhèxiē huà,　jiù zǒu le.
说完这些话, 就走了。

Zhège nǚrén bù zhīdào zhè shì wèi shénme.
这个女人不知道这是为什么。

Zài èrshí'èr suì de shíhou　zhège nǚrén
在 2 2 岁的时候, 这个女人

dì-èr cì jiēshòule yí gè nánrén de yuēhuì.
第二次接受了一个男人的约会。

Zài jìngjìng de xiǎo hé biān,　nǚrén gēn nánrén
在静静的小河边, 女人 跟男人

shuōzhe qiāoqiāohuà.　Gānggāng jiēchùle
说 着 悄悄话。 刚 刚 接触了

yí gè wǎnshang,　nánrén jiù lǒule nǚrén,
一个晚上, 男人就搂了女人,

1 悄悄话: private whisper
2 接触: contact, meet
3 搂: embrace
4 封建: feudal
5 时代: times, age

nánrén hái yào wěn zhège nǚrén . Nǚrén
男人还要吻[1]这个女人。女人

shuō bù . Nánrén fēicháng shēngqì . Nánrén
说不。男人非常生气。男人

shuō nǐ zhème piàoliang , jiùshì tài gǔbǎn
说你这么漂亮，就是太古板[2]

le , xiànzài shì shénme shídài le , nǐ hái
了，现在是什么时代了，你还

zhème gǔbǎn . Nánrén shuōwán zhèxiē huà , jiù
这么古板。男人说完这些话，就

zǒu le .
走了。

Zhège nǚrén xīnli hěn nánshòu .
这个女人心里很难受[3]。

Zài èrshísì suì de shíhou , zhège nǚrén
在24岁的时候，这个女人

yòu yí cì jiēshòule yí gè nánrén de yuēhuì .
又一次接受了一个男人的约会。

Zài jìngjìng de liǔshù xià , nǚrén gēn nánrén
在静静的柳树[4]下，女人跟男人

shuōzhe qiāoqiāohuà . Gānggāng jiēchù yí gè
说着悄悄话。刚刚接触一个

wǎnshang , nánrén jiù lǒule nǚrén , wěnle
晚上，男人就搂了女人，吻了

nǚrén , nánrén hái yào tā de shēntǐ , nǚrén
女人，男人还要她的身体，女人

1 吻: kiss
2 古板: old-fashioned, inflexible
3 难受: feel sad
4 柳树: willow

shuō bù . Nánrén fēicháng shēngqì . Nánrén
说 不。男人 非常 生气。男人

shuō nǐ zhème piàoliang , jiùshì tài bù kāifàng
说 你 这么 漂亮，就是 太 不 开放[1]

le , xiànzài shì shénme shídài le , nǐ hái
了，现在 是 什么 时代 了，你 还

zhème bù kāifàng , nǐ kěnéng shì zhège
这么 不 开放，你 可能 是 这个

shìshàng de zuìhòu yí gè chǔnǚ le ba .
世上[2] 的 最后 一个 处女[3] 了 吧。

Nánrén shuōwán zhèxiē huà , jiù zǒu le .
男人 说完 这些 话，就 走了。

Zhège nǚrén gǎndào hěn kǒnghuāng .
这个 女人 感到 很 恐慌[4]。

Zài èrshíliù suì de shíhou , zhège nǚrén
在 26 岁 的 时候，这个 女人

zài yí cì jiēshòule yí gè nánrén de yuēhuì .
再 一次 接受了 一个 男人 的 约会。

Zài jìngjìng de yuèguāng xià , nǚrén gēn nánrén
在 静静 的 月光[5] 下，女人 跟 男人

shuōzhe qiāoqiāohuà . Gānggāng jiēchù yí gè
说着 悄悄话。刚 刚 接触 一个

wǎnshang , nánrén jiù lǒule nǚrén , wěnle
晚 上，男人 就 搂了 女人，吻了

nǚrén , hái yàole nǚrén de shēntǐ . Nǚrén
女人，还 要了 女人 的 身体。女人

1 开放：open-minded
2 世上：in the world
3 处女：virgin
4 恐慌：panic
5 月光：moonlight

duì nánrén shuō：Wǒ bǎ　yíqiè　dōu gěi nǐ　le，
对 男人 说：我 把 一切 都 给 你 了，

nǐ　yǐhòu　yídìng yào hǎohāo de　ài wǒ.
你 以后 一定 要 好好地 爱我。

Nánrén　shuō：　Nǐ　shénme　dōu hǎo，
男人 说：你 什 么 都 好，

jiùshì　　tài kāifàng.　Wǒ zhème　róngyì　jiù
就 是 太 开 放。我 这么 容 易 就

dédàole nǐ，　nǐ tài bú zìzhòng le.
得到了你，你 太 不 自 重 了。

Nánrén yòu shuō：Nǐ　zhème　piàoliang，
男人 又 说：你 这么 漂 亮，

yǐqián　yídìng yǒu hěn duō nánrén zhuī nǐ，　nǐ
以前 一定 有 很 多 男人 追 你，你

shìbushì　bǎ shēntǐ yě dōu gěiguo tāmen le？
是不是 把 身体 也 都 给过 他们 了？

Nánrén hái shuō：　Nǐ　zhème　piàoliang，
男人 还 说：你 这么 漂 亮，

wèi shénme　zhème　dà niánlíng　hái méi tán
为 什 么 这么 大 年 龄[1] 还 没 谈

nánpéngyou，　hái méi jiéhūn？
男 朋 友，还 没 结婚？

Nánrén hái shuō　…
男人 还 说……

Nǚrén qì　jíle，　dàshēng shuō："Nǐ
女人 气 极 了，大 声 说："你

1 年龄: age

shì gè húndàn ！ ” Nǚrén hěnhēn de   dǎle
是个混蛋[1]！”女人狠狠地[2]打了

nánrén yì bāzhang .
男人一巴掌[3]。

　　Zài Zhōngguó ,   nánrénmen xǐhuan
　　在 中 国 ， 男 人 们 喜 欢

piàoliang 、 chuántǒng 、 zìzhòng de nǚrén .
漂 亮 、 传 统 、 自 重 的 女 人。

Kěshì zhège nǚrén bù zhīdào zìjǐ dàodǐ cuò
可是这个女人不知道自己到底[4]错

zài nǎli .   Nǚrén yīnggāi zěnyàng zuò cái néng
在哪里。 女人应该怎样做才能

huòdé àiqíng ?
获得[5]爱情？

1 混蛋: (curse) bastard, scoundrel

2 狠狠地: ruthlessly, relentlessly

3 一巴掌: a slap

4 到底: on earth

e.g 男人到底喜欢什么样的女人?

5 获得: acquire, obtain

This story has been simplified according to Deng Yaohua's mini-story, "Woman (女人)", published in the *Three Hundred Mini-stories* (微型小说300篇), edited by Li Chunlin (李春林), Zheng Yunqin (郑允钦), Baihuazhou Literature and Art Publishing House (百花洲文艺出版社), Nanchang, 1999.

思考题：

1. 这位美丽的女人一共约会了几次？
2. 为什么这几个男人都不喜欢"她"？
3. 时代变了，女人怎样才能获得爱情呢？为什么？

十四、童心 [1]

Shísì　Tóngxīn

yuánzhù：Shù Tián

原著：树田

1 **童心**：child's inno-

cence

十四、童心

Guide to reading:

In this story, Lili（丽丽）and her boyfriend Mingming（明明）are taking a walk in a garden. While they are walking, they are also enjoying eating ice-lollies and recalling the ice-lollies of their childhoods. Before the 1980s in China, children greatly enjoyed ice-lollies even though they were mostly just made of water and a little fruit juice.

故事正文：

Yì tiān, wǒ hé wǒ de nánpéngyou Míngming
一天，我和我的男朋友明明

láidào yí gè gōngyuán. Tiānqì hěn rè， wǒ hé
来到一个公园。天气很热，我和

Míngming yìbiān chīzhe bīnggùnr， yìbiān zài
明明一边吃着冰棍儿 [1]，一边在

shùlín li mànmān sànbù.
树林 [2] 里慢慢散步 [3]。

Míngming jīntiān hěn gāoxìng， shǒu li
明明今天很高兴，手里

názhe bīnggùnr xiàozhe duì wǒ shuō：" Lìli,
拿着冰棍儿笑着对我说："丽丽，

nǐ rúguǒ wèn wǒ māma, ' Míngming xiǎoshíhou
你如果问我妈妈，'明明小时候

zuì ài chī shénme? ' Wǒ māma de huídá
最爱吃什么？' 我妈妈的回答

yídìng shì ' bīnggùnr! ' "
一定是 '冰棍儿！' "

"Wǒ xiǎoshíhou yě xǐhuan chī bīnggùnr."
"我小时候也喜欢吃冰棍儿。"

Wǒ shuō.
我说。

"Wǒ hái jìde， nà shíhou shàng jiē,
"我还记得，那时候上街 [4]，

1 冰棍儿：ice-lolly made of flavored ice

2 树林：woods

3 散步：take a walk
e.g. 他经常在晚饭后散步。

4 上街：stroll along the street

zhǐyào kàn jiàn bīnggùnr xiāng，　wǒ jiù bù zǒu le
只要看见冰棍儿箱¹，我就不走了，

yào māma gěi wǒ mǎi bīnggùnr．Hòulái，māma
要妈妈给我买冰棍儿。后来，妈妈

yě hěn qíguài，māma shuō：'Míngming de
也很奇怪，妈妈说：'明明的

dùzi shì bu shì biànchéng bīngxiāng le　…'"
肚子是不是变成冰箱了……'"

"Nǐ zhēn chán！"Wǒ shuō．
"你真馋²！"我说。

"Chán shì chán，yǒu yí cì，wǒ mǎile
"馋是馋，有一次，我买了

hěn duō bīnggùnr，wèile bú ràng māma
很多冰棍儿，为了不让妈妈

kàn jiàn，wǒ bǎ nàxiē bīnggùnr tōutōu de
看见，我把那些冰棍儿偷偷地³

zhuāng zài wǒ de kǒudai li，zhǔnbèi huí jiā
装在我的口袋⁴里，准备回家

hòu gěi wǒ de xiǎopéngyoumen chī．Nà shíhou，
后给我的小朋友们吃。那时候，

wǒ bàba māma dōu yǒu gōngzuò，jiā li de
我爸爸妈妈都有工作，家里的

qián yě duō yìxiē．Kěshì hěn duō xiǎopéngyou
钱也多一些。可是很多小朋友

de jiā li zhǐyǒu bàba gōngzuò，māma bù
的家里只有爸爸工作，妈妈不

1 冰棍儿箱: box of ice-lollies

2 馋: greedy for sth. delicious to eat

3 偷偷地: stealthily
e.g. 他偷偷地跑进了房间。

4 口袋: pocket

gōngzuò, jiā li de qián bǐjiào shǎo, tāmen
工作，家里的钱比较少，他们

hěn shǎo chī bīnggùnr. Wǒ bǎ bīnggùnr zhuāng
很少吃冰棍儿。我把冰棍儿 装

zài kǒudai li, shì xiǎng dài gěi tāmen, ràng
在口袋里，是想带给他们，让

tāmen yě néng chīdào bīnggùnr. Kěshì děng
他们也能吃到冰棍儿。可是等

wǒ zhǎodào xiǎopéngyoumen de shíhou, nǐ
我找到小朋友们的时候，你

cāicāi wǒ kǒudai li de bīnggùnr zěnmeyàng
猜¹猜我口袋里的冰棍儿怎么样

le? Wǒ de kǒudai shī le, zhǐ yǒu dài shuǐ
了？我的口袋湿²了，只有带水

de gùnr, méiyǒu bīng, bīng dōu biànchéng
的棍儿³，没有冰，冰都变成

shuǐ le."
水了。"

"Hā hā hā hā ..." Wǒmen dōu
"哈哈哈哈……"我们都

xiào le. Shì ā, nà shí de Míngming shì
笑了。是啊，那时的明明是

duōme tiānzhēn kě'ài ā!
多么天真⁴可爱⁵啊！

Míngming zǒuguò yí zuò jiǎshān, yòu
明明走过一座假山⁶，又

1 猜: guess
e.g. 你猜，他手里拿的是什么？
2 湿: wet
e.g. 冰棍儿变成水了，衣服口袋也湿了。
3 棍儿: stick
4 天真: innocent
5 可爱: lovely
6 假山: rockery

mǎile liǎng zhī bīnggùnr, gěi wǒ chī yì zhī
买了两支冰棍儿，给我吃一支，

tā chī yì zhī.
他吃一支。

Tūrán, wǒmen tīngdào jiǎshān nàbiān
突然，我们听到假山那边

yǒu yí gè xiǎoháir de kū shēng. Wǒmen zǒu
有一个小孩儿的哭声。我们走

guòqù, kànjiàn yí gè xiǎonǚháir zài kūzhe
过去，看见一个小女孩儿在哭着

zhǎo tā de māma ...
找她的妈妈……

Wǒ zǒu guòqù, gēn tā shuō:" Jiějie
我走过去，跟她说："姐姐

gěi nǐ mǎi bīnggùnr qù hǎo bu hǎo?"
给你买冰棍儿去好不好？"

Xiǎonǚháir mǎshàng jiù bù kū le.
小女孩儿马上就不哭了。

Zhèshí, Míngming yǐjīng názhe yì zhī
这时，明明已经拿着一支

lǜsè de shuǐguǒ bīnggùnr zǒu guòlái le, tā
绿色的水果冰棍儿走过来了，他

xiàozhe bǎ bīnggùnr gěile xiǎonǚháir.
笑着把冰棍儿给了小女孩儿。

Xiǎonǚháir jiēguò lǜsè de bīnggùnr,
小女孩儿接过绿色的冰棍儿，

tiántián de xiào le ...   Kànlái,   xiǎoháir
甜 甜 地 笑 了 …… 看 来, 小 孩 儿
dōu xǐhuan chī bīnggùnr!
都 喜 欢 吃 冰 棍 儿!

　　Ránhòu,   wǒ hé Míngming jiù dàizhe
　　然 后, 我 和 明 明 就 带 着
xiǎonǚháir qù zhǎo tā de māma le   ...
小 女 孩 儿 去 找 她 的 妈 妈 了 ……

This story has been simplified according to Shu Tian's mini-story, "Child's Innocence (童心)", published in the *Mini-Story Selection* (微型小说选), edited by the General Office of the Hohhot Evening Newspaper (呼和浩特晚报报社), Inner Mongolia People's Publishing House (内蒙古人民出版社), Hohhot, 1984.

思考题:

1. 明明小时候最爱吃什么?
2. 明明为什么把冰棍儿偷偷地装在他的口袋里?
3. 明明的小朋友们吃到冰棍儿了吗? 为什么?
4. 小女孩儿找不到妈妈哭了, 后来怎么又笑了?

十五、阳光路 17 号 [1]

Shíwǔ Yángguāng Lù Shíqī Hào

yuánzhù：Xuě Xiǎochán

原著：雪 小 禅

1 阳光路 17 号：No. 17 Yangguang Road; 阳光：sunshine; 路：road

十五、 阳光路 17 号

Guide to reading:

Since the 1980s in China, large numbers of farmers have come to the cities. They have built countless high buildings and large mansions. They earn money and send it back home. They live a hard life in the cities. In this story, a young farmer comes to a city to work, while his young wife works at home. In his letters, the husband tells his wife how happily he lives and works in the city. However, when his wife comes to the city and sees No.17 Yangguang Road, where her husband lives, she finds out the truth. The young couple deeply loves each other, so both of them keep this secret in their hearts.

故事正文：

Shān li tài qióng le,   nánrénmen dōu
山 里 太 穷¹ 了，男 人 们 都

líkāi jiā,   chūqù dǎgōng le . Nǚrénmen zài
离 开 家，出 去 打 工² 了。女 人 们 在

jiā li zhòng dì,   yǎng zhū,   zhàogù lǎorén,
家 里 种 地、养 猪³，照 顾 老 人，

děngzhe tāmen de zhàngfumen cóng yuǎnfāng
等 着 她 们 的 丈 夫 们 从 远 方⁴

jìlái   de xìn hé qián .
寄⁵ 来 的 信 和 钱。

Tā hé tā jiéhūn le .   Tāmen jiā li méi
她 和 他 结 婚 了。他 们 家 里 没

qián,   jiéhūn shí zhǐ mǎile yì zhāng chuáng .
钱，结 婚 时 只 买 了 一 张 床⁶。

Tāmen jiéhūn bú dào yí gè yuè,   tā jiù dào
他 们 结 婚 不 到 一 个 月，他 就 到

dàchéngshì li qù dǎgōng le .
大 城 市 里 去 打 工 了。

Měi gè yuè,   tā dōu huì gěi jiā li jì qián,
每 个 月，他 都 会 给 家 里 寄 钱，

yǒushí duō,   yǒushí shǎo . Shōudào tā jìlái
有 时 多，有 时 少。收 到 他 寄 来

de qián,   tā dōu cún   qǐlái,   shèbude
的 钱，她 都 存⁷ 起 来，舍 不 得⁸

1 穷: poor

2 打工: work; temporary work; part-time work

3 种地、养猪: do farm work and raise pigs

4 远方: distant place

5 寄: post, send
(e.g)他每个月都给妻子寄钱。

6 床: bed

7 存: save, deposit
(e.g)她把他寄来的钱都存起来了。

8 舍不得: be reluctant to part with sth./sb.
(e.g)他舍不得离开家。

yòng yì fēn qián .
用一分钱。

　　Tāmen wénhuà shuǐpíng dōu bù gāo, dàn
　　他们文化水平¹都不高，但

tāmen jīngcháng xiě xìn . Shōudào tā de xìn,
他们 经常²写信。收到他的信，

tā yí gè zì yí gè zì de dú . Tā de zì bù
她一个字一个字地读。他的字不

hǎokàn, kěshì tā xǐhuan kàn . Tā de xìn li
好看，可是她喜欢看。他的信里

xiě de dōu shì duì tā de sīniàn hé dānxīn .
写的都是对她的思念³和担心。

　　Tā yě xiě huíxìn, tā de xìn li xiě de
　　她也写回信，她的信里写的

yě dōu shì duì tā de sīniàn hé dānxīn . Zài tā
也都是对他的思念和担心。在她

de xīn li, quán shì nàge hēihēi-shòushòu de
的心里，全是那个黑黑瘦瘦的

nánrén — tā de zhàngfu .
男人——她的丈夫。

　　Tā de dìzhǐ tā zǎo jiù jì xiàlái
　　他的地址⁴她早就记下来

le — Yángguāng Lù shíqī hào .
了—— 阳光 路17号。

　　Yángguāng Lù, duō hǎotīng de míngzi .
　　阳 光 路，多好听的名字。

---

1 **文化水平**: educational level
2 **经常**: often
3 **思念**: miss; think of
4 **地址**: address
🅔.🅖 请把地址写在信封上。

Tā xiǎng， zài nàge dàchéngshì， zhè tiáo
她 想， 在 那 个 大 城 市， 这 条

Yángguāng Lù yídìng dàochù dōu shì yángguāng.
阳 光 路 一 定 到 处 都 是 阳 光。

Yúshì， tā duì Yángguāng Lù shíqī hào
于 是， 她 对 阳 光 路 17 号

chōngmǎnle xiàngwǎng.
充 满¹ 了 向 往²。

Tā zài láixìn zhōng shuō：" Yángguāng Lù
他 在 来 信 中 说：" 阳 光 路

shì yì tiáo fēicháng piàoliang de lù， yǒu lù shù，
是 一 条 非 常 漂 亮 的 路， 有 绿 树，

yǒu měilì de huā. Wǒmen zhèli de shēnghuó
有 美 丽 的 花。 我 们 这 里 的 生 活

xiāngdāng hǎo, zhù de shì yǒu yángtái de fángzi
相 当 好, 住 的 是 有 阳 台 的 房 子³,

suīrán shì dǎgōng， kěshì shēnghuó bù kǔ ."
虽 然 是 打 工， 可 是 生 活 不 苦⁴。"

Yúshì， tā jīngcháng zài xiǎng， lóufáng
于 是， 她 经 常 在 想， 楼 房

de yángtáishang yǒu xiānhuā， lù biān yǒu lù shù，
的 阳 台 上 有 鲜 花，路 边 有 绿 树，

yǒu měilì de huā. Zhè zhǒng xiǎngxiàng ràng
有 美 丽 的 花。 这 种 想 象⁵ 让

tā duì wàimiàn de shìjiè chōngmǎnle hǎogǎn.
她 对 外 面 的 世 界 充 满 了 好 感⁶。

1 充满: be full of
e.g. 他对生活充满了
希望。
2 向往: hope, expecta-
tion
e.g. 他向往着美好的
未来。
3 有 阳 台 的 房 子:
house with a balcony
4 苦: bitterness, suf-
fering
5 想象: imagination
6 好感: good impres-
sion
e.g. 他工作很努力,大
家对他都很有好感。

Suǒyǐ, děngzhe tā de láixìn — yě jiùshì
所以，等着他的来信——也就是

Yángguāng Lù shíqī hào de láixìn — chéngwéi
阳光路 17 号的来信——成为

tā zuì dà de kuàilè.
她最大的快乐。

Tā xǐhuan dú tā de xìn. Dúzhe tā de
她喜欢读他的信。读着他的

xìn, tā hǎoxiàng kàndàole wàimiàn de shìjiè,
信，她好像看到了外面的世界，

nàxiē piàoliang de fángzi, nàxiē chuānzhe
那些漂亮的房子，那些穿着

piàoliang yīfu de nǚháizi, tā hǎoxiàng hái
漂亮衣服的女孩子，她好像还

tīngdàole gāngqín shēng. Tā zài xìn zhōng hái
听到了钢琴声 [1]。他在信中还

shuōqǐguò Màidāngláo. Tā zài xìn zhōng shuō,
说起过麦当劳 [2]。他在信中说，

děng tā qù de shíhou, tā yào dài tā qù chī
等她去的时候，他要带她去吃

Màidāngláo.
麦当劳。

Dàn nà nián Chūn Jié, tā méiyǒu huí
但那年春节 [3]，他没有回

jiā. Tā shuō, gōngsī ràng tāmen qù Hǎinán
家。他说，公司让他们去海南 [4]

1 钢琴声: sound of a piano
2 麦当劳: McDonald's
3 春节: Spring Festival
4 海南: Hainan Province, a beautiful tourist destination

lǚyóu   ，   jīhuì hěn hǎo ，   háishi míngnián zài
旅游，机会很好，还是明年再

huí jiā guònián ba .
回家过年吧。

Tā gēn biérén shuō ，   wǒ jiā de nánren qù
她跟别人说，我家的男人去

Hǎinán lǚyóu le ，   shì gōngsī ràng tāmen qù
海南旅游了，是公司让他们去

de .   Zài tā kànlái ，   gōngsī shì gè hěn hǎo de
的。在她看来，公司是个很好的

cí ¹ ，   qù Hǎinán yě shì jiàn hěn   liǎobuqǐ
词¹，去海南也是件很了不起²

de shì .
的事。

Tā cún de qián yuèláiyuè duō .   Tā gēn tā
她存的钱越来越多。她跟他

shuō ，"Míngnián nǐ huílái ，   wǒmen yìqǐ   gài
说，"明年你回来，我们一起盖³

yí gè xīn fángzi ba . "
一个新房子吧。"

Tā de   jìhuà   shì nàme měihǎo ，   gài yí
她的计划⁴是那么美好，盖一

gè xīn fángzi ，   zhòng dì ，   yǎng zhū ，   shēng yí
个新房子，种地，养猪，生一

gè háizi …   Xiǎngzhe xiǎngzhe ，   tā jiù huì
个孩子……想着想着，她就会

1 词: word
2 了不起: terrific, extraordinary
e.g. 他可真了不起。
3 盖: build
e.g. 他们盖了一个新房子。
4 计划: plan
e.g. 他计划明年去中国旅游。

xìngfú de xiào qǐlái .
幸福 地 笑 起来。

　　Tā líkāi jiā kuài liǎng nián le ， tā tài
　　他 离开 家 快 两 年 了， 她 太

xiǎng tā le . Yúshì， tā qù dàchéngshì zhǎo
想 他 了。¹ 于是， 她 去 大 城市 找

tā， xiǎng gěi tā yí gè jīngxǐ .
他， 想 给 他 一个 惊喜²。

　　Zuòle sān tiān sān yè de huǒchē ， tā
　　坐 了 三 天 三 夜 的 火车³， 她

zhōngyú dàole nàge dàchéngshì， nà zhēnshi yí
终于 到 了 那个 大城市， 那 真 是 一

gè měilì de dàchéngshì ā . Chéngshì tài dà
个 美丽 的 大城市 啊。 城市 太 大

le， tā bù zhīdào dōng nán xī běi . Tā wèn
了， 她 不 知道 东 南 西 北。 她 问

jǐngchá ， Yángguāng Lù shíqī hào zài nǎr .
警察⁴， 阳 光 路 17 号 在 哪儿。

Jǐngchá shuō， zài jiāoqū ， zài yí gè hěn
警察 说， 在 郊区⁵， 在 一个 很

yuǎn de dìfang， hái yào zuò liǎng gè xiǎoshí
远 的 地方， 还要 坐 两 个 小 时

de qìchē .
的 汽车。

　　Tā bù míngbai， yǐwéi tīngcuò le ，
　　她 不 明 白， 以为 听错 了，

1 她太想他了: She missed him too much.
太……了: very much
e.g 他太喜欢吃冰棍儿了。
2 惊喜: pleasant surprise
3 火车: train
e.g 他打算坐火车去北京。
4 警察: policeman
e.g 他说遇到困难要找警察。
5 郊区: suburb
e.g 他住在郊区。

因为她丈夫说，这条路就在
yīnwèi tā zhàngfu shuō, zhè tiáo lù jiù zài

市中心¹啊。
shìzhōngxīn ā

　　她又坐了两个小时的汽车。
Tā yòu zuòle liǎng gè xiǎoshí de qìchē

下车后，她又问一些人阳光
Xià chē hòu, tā yòu wèn yìxiē rén Yángguāng

路17号在哪儿。有人告诉她，
Lù shíqī hào zài nǎr. Yǒu rén gàosu tā,

往前走，前边就是！
wǎngqián zǒu, qiánbiān jiùshì

　　她终于看到一个破牌子²上
Tā zhōngyú kàndào yí gè pò páizi shang

写着：阳光路17号。
xiězhe : Yángguāng Lù shíqī hào

　　她还看到了一些简易房³。她
Tā hái kàndàole yìxiē jiǎnyìfáng. Tā

来到这个大城市，她看到了带
láidào zhège dàchéngshì, tā kàndàole dài

阳台的房子，看到了阳台上的
yángtái de fángzi, kàndàole yángtái shang de

花，听到了钢琴声，可那都是
huā, tīngdàole gāngqín shēng, kě nà dōu shì

别人的快乐。
biérén de kuàilè

1 市中心: city center
2 牌子: sign, plate
3 简易房: simply constructed house

Pángbiān de rén duì tā shuō, zhèlǐ de
旁边的人对她说，这里的

dàlóu kuài gàiwán le, zhè piàn jiǎnyìfáng yě
大楼快盖完了，这片简易房也

kuài chāi le, zhèxiē nóngmíngōng yě kuài huí
快拆¹了，这些农民工²也快回

jiā le. Tāmen zài zhèlǐ gànle kuài liǎng nián
家了。他们在这里干了快³两年

le. Wèile zhèng qián, tāmen guònián dōu
了。为了挣钱⁴，他们过年都

méiyǒu huí jiā.
没有回家。

Kànzhe zhèxiē jiǎnyìfáng, tā kū
看着这些简易房，她哭

le. Zài xìn zhōng tā shuōguò qù Hǎinán
了。在信中他说过去海南

lǚyóu, shuōguò dài yángtái de lóufáng, lù
旅游，说过带阳台的楼房、绿

shù, xiānhuā, gāngqín shēng, tā hái
树、鲜花、钢琴声，他还

shuō dài tā qù chī Màidāngláo. Xiànzài tā
说带她去吃麦当劳。现在她

cái míngbai, tā cónglái méiyǒu líkāiguò
才明白，他从来没有离开过

jiǎnyìfáng, tā cónglái méiyǒu qù chīguò
简易房，他从来没有去吃过

1 拆: pull down

2 农民工: migrant work-
er

3 快: nearly, almost
e.g. 春节快到了。

4 挣钱: earn money;
make money
e.g. 他在城里打工挣
了很多钱。

Màidāngláo .

麦 当 劳 。

Tā méiyǒu qù zhǎo tā ， tā yòu zuòle sān

她 没 有 去 找 他 ， 她 又 坐 了 三

tiān sān yè de huǒchē huí jiā le .

天 三 夜 的 火 车 回 家 了 。

Huí jiā hòu tā xiě xìn gěi tā ： Wǒ xiǎng

回 家 后 她 写 信 给 他 ： 我 想

nǐ le ， huí jiā ba .

你 了 ， 回 家 吧 。

Yí gè yuè hòu ， tā dàizhe dà bāo xiǎo bāo

一 个 月 后 ， 他 带 着 大 包 小 包

huí jiā le . Tā hái dàile yí fèn bú tài xīnxiān

回 家 了 。 他 还 带 了 一 份 不 太 新鲜

le de Màidāngláo gěi tā . Tā ràng tā chī ， tā

了 的 麦 当 劳 给 她 。 她 让 他 吃 ， 他

shuō ， nǐ chī ba ， wǒ zài wàimiàn jīngcháng chī .

说 ， 你 吃 吧 ， 我 在 外 面 经 常 吃 。

Tā hánzhe yǎnlèi chīwán nàge jiào

她 含 着 眼 泪 [1] 吃 完 那 个 叫

Màidāngláo de dōngxi — yí gè xiǎoxiǎo de

麦 当 劳 的 东 西 —— 一 个 小 小 的

hànbǎo ， yào mài shíjǐ kuài qián . Chīwán

汉 堡 [2] ， 要 卖 十 几 块 钱 。 吃 完

le ， tā shuō ， bù hàochī ， méiyǒu jiā li de

了 ， 她 说 ， 不 好 吃 ， 没 有 家 里 的

1 含着眼泪: have tears in one's eyes

2 汉堡: hamburger

fàn hǎochī, suǒyǐ nǐ dōu bù xǐhuan chī le.
饭好吃，所以你都不喜欢吃了。

Zhěngzhěng yí yè [1]，tā dōu zài gěi
整整一夜[1]，他都在给

tā jiǎng wàimiàn de shìjiè, shuō zìjǐ de
她讲外面的世界，说自己的

gōngsī duōme[2] hǎo, shuō zhù de fángzi duōme
公司多么[2]好，说住的房子多么

piàoliang … Tā yìzhí zài shuō Yángguāng Lù
漂亮……他一直在说阳光路

shíqī hào. Tā yìbiān tīng, yìbiān tōutōu de liú
17号。她一边听，一边偷偷地流

lèi[3]. Zuìhòu, tā duì tā shuō: Yīnwèi yǒu
泪[3]。最后，她对他说：因为有

nǐ, nà tiáo lù yīnggāi jiào Yángguāng Lù.
你，那条路应该叫阳光路。

Tā yìzhí méiyǒu shuō, tā qùguò
她一直没有说，她去过

Yángguāng Lù shíqī hào. Nà shì tā xīn li yí
阳光路17号。那是她心里一

gè xìngfú ér xīnsuān[4] de mìmì[5].
个幸福而心酸[4]的秘密[5]。

1 整整一夜: the whole night

2 多么: so, very

3 偷偷地流泪: stealthily shed tears

e.g. 她在偷偷地流着眼泪。

4 心酸: bitter, sad

5 秘密: secret

This story has been simplified according to Xue Xiaochan's mini-story, "No. 17 Yangguang Road (阳光路 17 号)", published in the *China Mini-story Selection of 2005* (2005 年中国微型小说精选), edited by the Creation and Study Section of China Writers Association (中国作协创研部), Changjiang Literature and Art Publishing House (长江文艺出版社), Wuhan, 2006. In 2005, "No. 17 Yangguang Road" was selected as one of the ten best mini-stories in China.

About the author Xue Xiaochan (雪小禅):

Xue Xiaochan is a member of the China Writers Association and a columnist for the *Beijing Evening* newspaper, the magazine *Marriage and Family*, and other publications. She has published about 30 books. Some of her representative works are 我爱你 (*Wǒ Ài Nǐ*), 再见 (*Zàijiàn*), 刺青 (*Cìqīng*) and 雪小禅十年典藏文集 (*Xuě Xiǎochán Shí Nián Diǎncáng Wénjí*).

思考题：

1. "他们"结婚以后，丈夫去哪儿了？
2. 丈夫在信上说他生活得怎么样？妻子相信吗？
3. 妻子坐火车去大城市，看到了什么？
4. 妻子回家以后，为什么写信让丈夫回来？
5. 阳光路17号是什么样的？

总词汇表

Glossary

This glossary contains the top 500 high frequency words and New HSK Test Level 3 words used in this book (e.g., 比赛)

A

| 啊 | á | (exclamatory particle to indicate admiration) |
| 爱 | ài | to love; love |

B

八	bā	eight
把	bǎ	(prep. used when the object is placed before the verb); (classifier) for object with a handle
爸爸	bàba	father, dad
吧	ba	(aux. used to indicate suggestion, request, agreement, etc.)
白	bái	white
半	bàn	half
办公室	bàngōngshì	office
帮	bāng	to help; help
帮助	bāngzhù	to help; help

被	bèi	by (prep. used in a passive sentence to indicate that the subject is the object of the action)
本	běn	(classifier) for books
比	bǐ	to compare; than
比较	bǐjiào	relatively; to compare
比赛	bǐsài	contest
边	biān	side
便	biàn	then
变	biàn	to change
表示	biǎoshì	to show, to express, to indicate
别	bié	other, another; (used in giving command or advice) don't
别的	biéde	other, another
别人	biéren	others
宾馆	bīnguǎn	hotel
并	bìng	and
病	bìng	sickness, disease
不	bù	no, not
不错	búcuò	not bad
不过	búguò	only, however
不好	bùhǎo	not well
不会	búhuì	won't happen
不能	bùnéng	can't
不少	bùshǎo	quite a few

不同	bùtóng	different
不要	búyào	do not

C

才	cái	just
菜	cài	dish (of food), vegetable
参加	cānjiā	to attend; to participate in
曾	céng	once
茶	chá	tea
长	cháng	long
常	cháng	often
常常	chángchang	often
唱	chàng	to sing
车	chē	vehicle
衬衫	chènshān	shirt
成	chéng	to become
城市	chéngshì	city
成为	chéngwéi	to become
吃	chī	to eat
吃饭	chīfàn	to eat a meal
出	chū	to go out
出来	chūlái	to come out
出去	chūqù	to go out
厨房	chúfáng	kitchen
除了	chúle	except

穿	chuān	to wear
窗	chuāng	window
次	cì	time (第一次 the first time)
从	cóng	from

D

打	dǎ	to beat
大	dà	big
大家	dàjiā	everybody
大学	dàxué	university, college
带	dài	to carry, to bring
担心	dānxīn	concern; worry
但	dàn	but
但是	dànshì	but
当	dāng	to work as; to regard as; when
当然	dāngrán	of course
当时	dāngshí	then; at that time
倒	dǎo	to fall
倒	dào	to pour out; to empty
到	dào	to arrive, to reach; to leave for (prep.) up to
道	dào	way; to say
得	dé	to obtain; to get
得到	dédào	to obtain

得	de	(aux. used between a verb and its complement to indicate possibility); (used after a verb or an adjective to introduce a complement of result or degree)
的	de	(aux. used after an attribute when it modifies the noun); (used in 是…的 sentence for emphasis of the subject, time, etc.)
地	de	(aux. used after an adjective or phrase to form an adverbial adjunct before the verb)
等	děng	to wait; so on; etc.
低	dī	low
弟弟	dìdi	younger brother
第二	dì-èr	secondly
地方	dìfang	place, space
第一	dì-yī	firstly
点	diǎn	point
点儿	diǎnr	a little
电话	diànhuà	telephone
电视	diànshì	TV
东西	dōngxī	east and west
东西	dōngxi	things
东南西北	dōngnánxīběi	east, south, west and north
冬天	dōngtiān	winter

懂	dǒng	to understand
动物	dòngwù	animal
都	dōu	all
读	dú	to read
对	duì	correct, right; (prep.) to
对不起	duìbuqǐ	sorry
对于	duìyú	with regard to
多	duō	many, much
多少	duōshǎo	how many, how much
多么	duōme	how

E

儿	ér	son
儿子	érzi	son
而	ér	and, yet
而且	érqiě	moreover, furthermore
二	èr	two

F

发	fā	to emit
发现	fāxiàn	to find, to discover; findings
发展	fāzhǎn	to develop; development
饭	fàn	food, meal
饭馆	fànguǎn	restaurant
方面	fāngmiàn	aspect

房间	fángjiān	room
放	fàng	to put, to place
非常	fēicháng	very
分	fēn	to divide; (of currency) one cent
父母	fùmǔ	parents
父亲	fùqin	father

G

该	gāi	ought to; should
干	gān	dry
敢	gǎn	to dare
感到	gǎndào	to feel, to sense
感冒	gǎnmào	catch a cold
干	gàn	to do
刚	gāng	just
高	gāo	tall
高兴	gāoxìng	happy
告诉	gàosu	to tell, to warn
个	gè	(classifier for nouns without particular measure word)
给	gěi	to give; (prep.) for
跟	gēn	to follow; (prep.) with
更	gèng	more
工作	gōngzuò	to work; work, job
公司	gōngsī	company

姑娘	gūniang	girl
故事	gùshi	story
贵	guì	expensive
国家	guójiā	country, state
过	guò	to cross to pass
过来	guòlái	come over
过去	guòqù	go over
过	guo	(used after a verb to indicate the completion of an action)

H

还	hái	still
还是	háishi	still
还有	hái yǒu	besides; in addition
孩子	háizi	child, children
害怕	hàipà	afraid of; fear
行	háng	row
好	hǎo	good, well
好像	hǎoxiàng	it seems that …
汉语	Hànyǔ	Chinese language
号	hào	number
喝	hē	to drink
和	hé	and
黑	hēi	black
很	hěn	very

很多	hěn duō	a lot
红	hóng	red
后	hòu	after, behind
后来	hòulái	afterwards
忽然	hūrán	suddenly
花	huā	flower; to spend (money, time) on
画	huà	to draw; painting
话	huà	words, remark
坏	huài	bad
欢迎	huānyíng	welcome
换	huàn	to change
回	huí	to return
回答	huídá	to reply; reply; to answer; answer
回到	huídào	to return
回家	huíjiā	to go home
回来	huílái	to come back
会	huì	can; likely; meeting
或	huò	or
或者	huòzhě	or

J

机场	jīchǎng	airport
极	jí	extremely
几	jǐ	how many; how much
家	jiā	family, home

家里	jiā li	family, home
家庭	jiātíng	family
甲	jiǎ	the first in order
间	jiān	(classifier for the number of rooms in a house or a building)
见	jiàn	to see; to catch sight of
件	jiàn	(classifier for events, matters, things, etc.)
将	jiāng	will
讲	jiǎng	to speak, to say, to tell
教	jiāo	to teach
叫	jiào	to be called; to call (name)
教授	jiàoshòu	professor
结婚	jiéhūn	to marry
介绍	jièshào	to introduce
今天	jīntiān	today
进	jìn	to enter
进行	jìnxíng	to be in progress; to be under way
经常	jīngcháng	often
经过	jīngguò	to pass through; through
精神	jīngshén	vigor
酒	jiǔ	alcohol
就	jiù	right away; as soon as; so, only
就是	jiùshi	yes; just
句	jù	sentence

觉得	juéde	to feel, to think
决定	juédìng	to decide; decision

K

开	kāi	to open; open
开始	kāishǐ	to begin
看	kàn	to look at; to see
看到	kàndào	to see
看见	kànjiàn	to see; to catch sight of
看看	kànkan	to have a look
可	kě	but
可能	kěnéng	maybe, probably
可是	kěshì	but
可以	kěyǐ	OK; can, may
课	kè	class, lesson
口	kǒu	mouth, opening
哭	kū	to cry
块	kuài	piece, lump, chunk
快	kuài	fast, quick
快乐	kuàilè	happiness; happy

L

拉	lā	to pull
啦	lā	(fusion of 了 and 啊)
来	lái	to come

老	lǎo	old, dated
老人	lǎorén	old people
老师	lǎoshī	teacher
老爷	lǎoyé	(used by a domestic servant) lord; master
累	lèi	tired
冷	lěng	cold
离	lí	to be at a distance from
离开	líkāi	to leave
里	lǐ	inside
历史	lìshǐ	history
连	lián	even
脸	liǎn	face
两	liǎng	two
了	liǎo	(aux. used after a verb or an adjective to indicate the completion of an action or a change)
路	lù	road
旅游	lǚyóu	to travel

M

妈	mā	mother, mom
妈妈	māma	mother, mom
吗	ma	(aux. used at the end of a question)
买	mǎi	to buy
卖	mài	to sell

满	mǎn	full
慢慢	mànmān	slow
忙	máng	busy
么	me	(suf. used after some Chinese characters)
没	méi	not; without
没有	méiyǒu	do not have; there is no…
每	měi	every
美	měi	beautiful
美丽	měilì	beautiful; beauty
每天	měi tiān	every day
门	mén	door
们	men	(used after a personal pronoun or a noun to show plural number)
米	mǐ	rice
名	míng	name
名字	míngzi	name
明白	míngbai	to understand
明天	míngtiān	tomorrow
母亲	mǔqin	mother

N

拿	ná	to hold, to take
哪	nǎ	which, where
哪儿	nǎr	where
那	nà	that

那个	nàge	that
那里	nàli	over there
那么	nàme	so; in that way
那儿	nàr	there
那些	nàxiē	those
难	nán	difficult
难过	nánguò	sad
难	nàn	disaster
呢	ne	(aux. used at the end of a special, alternative, or rhetorical question to indicate a question)
能	néng	can; to be able to
你	nǐ	you
你好	nǐhǎo	hello
你们	nǐmen	you (plural)
年	nián	year
您	nín	you (said with respect)
努力	nǔlì	diligent; exert oneself
女	nǚ	female
女儿	nǚ'ér	daughter
女人	nǚrén	female, woman

P

怕	pà	to be afraid; to fear

旁边	pángbiān	side
跑	pǎo	to run
朋友	péngyou	friend
片	piàn	flat, thin; small piece of sth.
漂亮	piàoliang	beautiful

Q

七	qī	seven
妻子	qīzi	wife
其	qí	that, it
骑	qí	ride
奇怪	qíguài	to be surprised; strange
起	qǐ	to get up
起来	qǐlái	to get up;
		(used after a verb or adjective to indicate the beginning or continuation of an action)
		(used after a verb to indicate the completion of an action or estimation)
气	qì	gas, air
汽车	qìchē	car, bus, vehicle
前	qián	before, in front of
钱	qián	money
情况	qíngkuàng	situation, information
请	qǐng	please...; to request, to invite

去	qù	to go
全	quán	complete; totally
却	què	but

R

然而	rán'ér	however
然后	ránhòu	then
让	ràng	to concede, to allow
热	rè	hot
热情	rèqíng	cordial, warm-hearted
人	rén	person, people
人们	rénmen	people
人类	rénlèi	mankind
认识	rènshi	to know
认为	rènwéi	to consider
认真	rènzhēn	conscientious, earnest
日	rì	day
容易	róngyì	easy
如	rú	such as
如果	rúguǒ	if

S

三	sān	three
山	shān	mountain
上	shàng	above, up; to go to

少	shǎo	few, little
少	shào	young
社会	shèhuì	society
谁	shéi	who, whom
身体	shēntǐ	body, health
什么	shénme	what
生	shēng	to give birth to
生活	shēnghuó	to live; life
生命	shēngmìng	life
生日	shēngrì	birthday
生病	shēngbìng	to fall ill
生气	shēngqì	angry
声	shēng	voice, sound
声音	shēngyīn	sound, voice
十	shí	ten
十分	shífēn	very, completely, fully
时	shí	time
时候	shíhou	(a point in) time, (the duration of) time
时间	shíjiān	time
使	shǐ	to make (sb. do sth.); to use
是	shì	to be; yes
事	shì	matter, thing; business, same as 事情
似的	shìde	just as
世界	shìjiè	world
事情	shìqing	matter, thing; business

手	shǒu	hand
受	shòu	to receive, to accept, to suffer, to endure
瘦	shòu	thin
书	shū	book
舒服	shūfu	comfortable
叔叔	shūshu	uncle
双	shuāng	pair
水	shuǐ	water
睡	shuì	to sleep
说	shuō	to speak, to say
说话	shuōhuà	to speak, to say
死	sǐ	to die
四	sì	four
似乎	sìhū	seemingly
送	sòng	to deliver, to carry
算	suàn	to count; to regard sth. as
虽然	suīrán	although
岁	suì	years old
所	suǒ	place, location; (used in the construction 为…所… to indicate passive voice)
所以	suǒyǐ	so, therefore

T

他	tā	he, him
她	tā	she, her

它	tā	it
他们	tāmen	they, them
它们	tāmen	their
太	tài	too
谈	tán	to talk, to chat
糖	táng	candy
特别	tèbié	especially, particularly
天	tiān	sky, day
天气	tiānqì	weather
甜	tián	sweet
条	tiáo	(classifier for a long narrow piece)
跳	tiào	to jump
听	tīng	to listen
听说	tīngshuō	to hear of; to be told
停	tíng	to stop
同	tóng	be the same
同学	tóngxué	classmate
同意	tóngyì	agree
头	tóu	head
突然	tūrán	sudden; suddenly
腿	tuǐ	leg

W

外	wài	outside
完	wán	to finish

晚上	wǎnshang	evening
往	wǎng	to go; toward
望	wàng	watch
为	wéi	do, act
为	wèi	(prep.) for; to do
位	wèi	(classifier for people in polite form)
为了	wèile	for; so that…
为什么	wèi shénme	why
文化	wénhuà	culture
问	wèn	to ask
问题	wèntí	question, problem
我	wǒ	I, me
我们	wǒmen	we, us
无	wú	be without
五	wǔ	five

X

希望	xīwàng	to hope, to wish; hope, wish
洗手间	xǐshǒujiān	restroom
喜欢	xǐhuan	to like, to love
下	xià	below; to go down; to get off
下来	xiàlái	come down
下去	xiàqù	go down
下午	xiàwǔ	afternoon
下雨	xiàyǔ	rain

夏天	xiàtiān	summer
先	xiān	before, first
先生	xiānsheng	Mr., sir
现在	xiànzài	now, nowadays
相信	xiāngxìn	trust
想	xiǎng	to think
想到	xiǎngdào	to think of
向	xiàng	towards; direction; to face
像	xiàng	to be like; likeness
小	xiǎo	small
小姐	xiǎojiě	miss, young lady
小时	xiǎoshí	hour
小心	xiǎoxīn	be careful
笑	xiào	to laugh, to smile
些	xiē	some
写	xiě	to write
谢谢	xièxie	to thank; thank you
心	xīn	heart
新	xīn	new
心里	xīnli	heart
新鲜	xīnxiān	fresh
信	xìn	letter; to believe in
信封	xìnfēng	envelope
星期天	xīngqītiān	Sunday
姓	xìng	surname

幸福	xìngfú	happiness
需要	xūyào	to need; need
许多	xǔduō	many, much
选择	xuǎnzé	choose
学	xué	to learn
学生	xuésheng	student
学校	xuéxiào	school
学习	xuéxí	to study

Y

呀	ya	(interj.used to express surprise)
研究	yánjiū	to research; research
眼	yǎn	eye
眼镜	yǎnjìng	glasses
眼睛	yǎnjing	eye
样子	yàngzi	appearance, manner
药	yào	medicine
要	yào	to want; to ask for
也	yě	also; as well
也许	yěxǔ	maybe
一	yī	one
一般	yìbān	generally, usually, commonly
一边……	yìbiān…	(doing two things) at the same time
一边……	yìbiān…	
一点儿	yìdiǎnr	a little

一定	yídìng	certainly, surely
一个	yí gè	one
一会儿	yíhuìr	a moment
一起	yìqǐ	to be together
一切	yíqiè	all, everything
一天	yì tiān	one day
一下儿	yíxiàr	(used after a verb to indicate a brief action)
一些	yìxiē	a number of; some
一样	yíyàng	the same; alike; equally
一直	yìzhí	straight; continuously
衣	yīfu	clothing
已	yǐ	to stop
以	yǐ	by means of
以后	yǐhòu	after, afterwards
已经	yǐjīng	already
以前	yǐqián	before
以为	yǐwéi	to consider, to think
椅子	yǐzi	chair
艺术	yìshù	art
意思	yìsi	meaning
意愿	yìyuàn	wish
因此	yīncǐ	therefore
因为	yīnwèi	because
音乐	yīnyuè	music

银行	yínháng	bank
应该	yīnggāi	must, should
永远	yǒngyuǎn	perpetually, forever, always
用	yòng	to use; use
由	yóu	by, from
由于	yóuyú	owing to; due to
有	yǒu	to have
有的	yǒude	some
有人	yǒurén	somebody
有些	yǒuxiē	some
又	yòu	again
于	yú	at
鱼	yú	fish
于是	yúshì	so
与	yǔ	and, with
语言	yǔyán	language
遇到	yùdào	to run into
元	yuán	(unit of money) yuan
原来	yuánlái	originally, formerly
远	yuǎn	far
愿意	yuànyì	to be willing
月	yuè	month, moon
越	yuè	to jump over
越来越	yuèláiyuè	more and more
月亮	yuèliang	moon

Z

咱们	zánmen	we, us
早	zǎo	early
早上	zǎoshang	morning
再	zài	again
在	zài	in, at
则	zé	rule
怎么	zěnme	how
怎么样	zěnmeyàng	how…; how about…
站	zhàn	to stand; station
张	zhāng	(classifier for paper, sheet, etc.); to open
长	zhǎng	to grow; chief, head
丈夫	zhàngfu	husband
着急	zháojí	anxious, worried
找	zhǎo	to look for
照顾	zhàogù	look after
照片	zhàopiàn	photograph
照相机	zhàoxiàngjī	camera
这	zhè	this
这个	zhège	this
这里	zhèli	here, same as 这儿
这么	zhème	in this way, like this
这儿	zhèr	here
这时	zhèshí	by this time

这些	zhèxiē	these
这样	zhèyàng	in this way, like this
这种	zhèzhǒng	this kind
着	zhe	(verbal suffix indicating the continuation of an action)
真	zhēn	really; true
真实	zhēnshí	true, real
正	zhèng	just, right
正在	zhèngzài	in process of
只	zhī	(classifier for certain animals and paired things)
之	zhī	to go to; this or that
支	zhī	(classifier for sth. like pen, cigarette, etc.)
知道	zhīdào	to know
之后	zhīhòu	afterwards
只	zhǐ	only, just
只好	zhǐhǎo	to have to
只是	zhǐshì	only, simply
只要	zhǐyào	as long as
只有	zhǐyǒu	only
中	zhōng	middle, center
终于	zhōngyú	finally
种	zhǒng	kind, type
中	zhòng	to hit; to fall into

种	zhòng	to plant
重要	zhòngyào	important
住	zhù	to live
祝	zhù	to wish
注意	zhùyì	to notice
准备	zhǔnbèi	to prepare
桌子	zhuōzi	desk, table
自己	zìjǐ	oneself
自然	zìrán	nature; natural
自行车	zìxíngchē	bicycle
总	zǒng	always
总是	zǒng shì	always
走	zǒu	to walk, to leave
最	zuì	most; to the highest or lowest degree
最后	zuìhòu	finally
最近	zuìjìn	recently
昨天	zuótiān	yesterday
坐	zuò	to sit
座	zuò	seat, place
做	zuò	to do, to make

汉语快速阅读训练教程（上、下）
A Course for Chinese Speed Reading (I, II)

▶ 汉英 Chinese-English edition
285×210 mm

I: ISBN 9787802006294
146pp，￥65.00

II: ISBN 9787802006300
155pp，￥65.00

汉语阅读课本——中国那些事儿
Pieces of China — A Reading Textbook

▶ 汉英 Chinese-English edition
285×210mm
ISBN 9787802006317
136pp，￥69.00

中国古诗百首读
100 Ancient Chinese Poems

▶ 汉英 Chinese-English edition
ISBN 9787802003958
145×210mm
163pp，￥39.00

诗词趣话
Stories behind Chinese Poems

▶ 汉 Chinese edition
145x210mm
ISBN 9787513800815
125pp，￥19.00

中国名著简读系列
Abridged Chinese Classic Series
——家，春，秋
— Family, Spring, Autumn

汉英 Chinese-English edition, by *Ba Jin*

MP3

MP3

MP3

家
Family
ISBN 9787802003910
152pp，145×210mm
￥39.00

春
Spring
ISBN 9787802003927
144pp，145×210mm
￥39.00

秋
Autumn
ISBN 9787802003934
200pp，145×210mm
￥42.00

MP3

中国名著简读系列
Abridged Chinese Classic Series
——围城
The Besieged City

汉英 Chinese-English edition, by *Qian Zhongshu*
ISBN 9787802003903
196pp，145x210mm
￥38.00

• 图书推荐 •
Recommendations

"老人家说" 系列
Wise Men Talking Series

汉英 Chinese-English edition

孔子说
Confucius Says
ISBN 9787802002111
201pp, 145×210mm
￥29.80

老子说
Lao Zi Says
ISBN 9787802002159
201pp, 145×210mm
￥29.80

孟子说
Mencius Says
ISBN 9787802002128
201pp, 145×210mm
￥29.80

孙子说
Sun Zi Says
ISBN 9787802002142
201pp, 145×210mm
￥29.80

庄子说
Zhuang Zi Says
ISBN 9787802002135
201pp, 145×210mm
￥29.80

晏子说
Yan Zi Says
ISBN 9787513801584
201pp, 145×210mm
￥35.00

管子说
Guan Zi Says
ISBN 9787513801447
201pp, 145×210mm
￥35.00

荀子说
Xun Zi Says
ISBN 9787513801423
201pp, 145×210mm
￥35.00

韩非子说
Han Fei Zi Says
ISBN 9787513801430
201pp, 145×210mm
￥35.00

墨子说
Mo Zi Says
ISBN 9787513801454
201pp, 145×210mm
￥35.00

For more information, visit us at www.sinolingua.com.cn
Email: hyjx@sinolingua.com.cn   Tel: 0086-10-68320585, 68997826
www.facebook.com/sinolingua   www.weibo.com/sinolinguavip

责任编辑：陆　瑜
英文编辑：薛彧威　吴爱俊
封面设计：古　手
封面摄影：Flees
印刷监制：汪　洋

图书在版编目（CIP）数据

汉语分级阅读．500 词 / 史迹编著．—北京：华语
教学出版社，2012
　　ISBN 978-7-5138-0345-8

Ⅰ .①汉… Ⅱ .①史… Ⅲ .①汉语 - 阅读教学 - 对外
汉语教学 - 自学参考资料 Ⅳ .① H195.4

中国版本图书馆 CIP 数据核字（2012）第 258157 号

汉语分级阅读·500 词

史迹　编著
*
©华语教学出版社有限责任公司
华语教学出版社有限责任公司出版
（中国北京百万庄大街 24 号　邮政编码 100037）
电话 : (86)10-68320585　68997826
传真 : (86)10-68997826　68326333
网址 : www.sinolingua.com.cn
电子信箱 : hyjx@sinolingua.com.cn
新浪微博地址 : http://weibo.com/sinolinguavip
北京玺诚印务有限公司印刷
2013 年（32 开）第 1 版
2017 年第 1 版第 6 次印刷
（汉英）
ISBN 978-7-5138-0345-8
定价 : 42.00 元